Cant o Englynion

Dafydd Islwyn

Cyhoeddiadau Barddas
2009

ⓗ Dafydd Islwyn

Argraffiad cyntaf: 2009

ISBN 978-1-906396-03-9

Cyhoeddwyd gyda chymorth ariannol
Cyngor Llyfrau Cymru.

Cyhoeddwyd gan Gyhoeddiadau Barddas
Argraffwyd gan Wasg Dinefwr, Llandybïe

Cynnwys

5

1.

Hen Efail

Y gêr tan rwd seguryd, – a'r taw hir
    Lle bu'r taro diwyd;
    A wêl fwth ac efail fud
    A wêl fedd hen gelfyddyd.

Mae'r ymadrodd 'y taro diwyd' yn fy atgoffa o ddeffro yn llencyn ar foreau gwyliau ysgol a sŵn fy nhad wrth ei waith, a fy nain yn fy annog i godi gyda'r sylw: 'Mae dy dad wrth ei waith ers oriau'. Ni chawsom ni erioed ein hannog i fentro dros riniog ei efail.

Gweithiwyd yr englyn hwn gan Dîm Ymryson y Beirdd Sir Aberteifi ym 1953. Roedd y tîm yn un o'r rhai cryfaf yng nghyfres Ymryson y Beirdd o dan ofal Sam Jones, Bangor. Y Prifardd R. J. Rowlands (1880-1967) – a oedd yn cael ei adnabod wrth ei enw barddol Meuryn – enw sy' wedi cael ei fabwysiadu i olygu beirniad Ymryson y Beirdd yn y Genedlaethol a'r Talwrn – a oedd yn mesur a phwyso'r cynigion. Ifan O. Williams oedd y cyflwynydd bywiog.

Y pedwar ymrysonwr oedd Evan Jenkins, Ffair Rhos; Alun Jones, y Cilie, Blaencelyn; Dafydd Jones, Ffair Rhos, a T. Llew Jones. Roedd tri ohonynt wedi ennill cystadleuaeth yr englyn yn y Genedlaethol: Evan Jenkins, englyn 'Y Llwydrew', 1940; Alun Cilie, Dolgellau, 1949, am ei englyn 'Hirlwm', a T. Llew Jones, Caerffili, 1950, am 'Ceiliog y Gwynt'. Roedd dau ohonynt, Dafydd Jones a T. Llew Jones, yn ddarpar-brifeirdd.

Mae'n englyn sy'n glynu yn y cof. Bu fy nhad yn of yn Rhos Cefn Hir, Ynys Môn, am dros ddeugain mlynedd. Dilynodd ei ewythr a'i daid yn y gwaith, ac fel mab i of mae'r englyn yn apelio am ei fod yn un sy'n mynegi fy mhrofiad. Caewyd yr efail yn y Rhos ym 1964. Mae'r

englyn yn dwyn i gof hen ffordd o fyw a ddiflannodd o gefn gwlad
Cymru yn ystod ail hanner y ganrif ddiwethaf. Gwelir llawer o englyn-
ion cywaith ymrysonwyr Aberteifi yn y gyfrol *Awen Aberteifi* (1961), ac
yn eu mysg yr englyn adnabyddus canlynol:

GORSEDD Y BEIRDD

Nid y cledd ond y weddi – a'i harddwch
    A rydd urddas arni;
    Mae nodded tu mewn iddi
    I'r Gymraeg rhag ei marw hi.

Testun Englyn Cywaith un o ornestau 1956 oedd llunio englyn ar y
testun 'Ymryson y Beirdd', a dyma gynnig Aberteifi:

Go dwym yw'r ymgodymu – wedi dod
    Dau dîm i gystadlu;
    A Meuryn yn cymharu
    A barnu'u llwydd gerbron llu.

Ac meddai Meirion:

Wyth brydydd eitha' brawdol – yn y glust
    Am y glec syfrdanol,
    A Meuryn yn ymorol
    Am air craff, a marc ar ôl.

2.

Ffair Rhos

Ni luniwyd unlle'n lanach – o ru'r byd,
　　Goror beirdd yw mwyach;
　　Yn nhir mwnwr a mynach,
　　Dihareb o bentre' bach.

Awdur yr englyn hwn ydi'r Prifardd Dafydd Jones (1907-1991). Ef a enillodd y Goron yn Eisteddfod Genedlaethol Aberafan ym 1966 am ei bryddest 'Y Clawdd'. Yn yr un eisteddfod fe osodwyd ei awdl 'Y Cynhaeaf' yn uchel yng nghystadleuaeth y Gadair. Ugain mlynedd ynghynt daeth i sylw cenedlaethol gyda'i bryddest 'Yr Arloeswr', a ddaeth yn agos at gipio'r Goron yn Eisteddfod Genedlaethol Aberpennar. Bu'n gystadleuydd cyson yn y Genedlaethol am y prif wobrau a chystadlaethau eraill.

Mae'r englynwr yn clodfori pentref ei febyd a saif bron i fil o droedfeddi uwchben y môr. Yn ôl y deyrnged i Dafydd Jones yn *Barddas*, Mai 1991, ymfalchïai'r bardd yn yr englyn hwn. Portreadwyd ef hefyd mewn ysgrif yn *Barddas*, Ebrill 1979.

Cryfder yr englyn ydi ei linell glo, patrwm o gynghanedd Sain grefftus. Mae'r llinell ar go' gwlad bellach. Mae'r ail linell yn dwyn i go' y beirdd a gafodd droedle yn y pentref; yn eu mysg Evan Jenkins (1894-1959), a enillodd ar yr englyn yn y Genedlaethol ym 1940, ac a oedd, fel awdur yr englyn hwn, yn aelod o Dîm Ymryson y Beirdd Sir Aberteifi. Bardd adnabyddus arall ydi'r Parchedig W. J. Gruffydd, y Prifardd Elerydd. Ef a enillodd y Goron yn y Genedlaethol ym Mhwllheli ym 1955 am ei bryddest 'Ffenestri', a phum mlynedd yn ddiweddarach am ei bryddest 'Unigedd'. Mae'r ddwy bryddest yn portreadu ardal adnabyddus Ffair Rhos. Cyhoeddodd Elerydd, a oedd yn Archdderwydd Cymru 1984-1986, ddwy gyfrol o hunangofiant, *Meddylu: Atgofion Archdderwydd* (1986), ac *O Ffair Rhos i'r Maen Llog* (2003). Meddai Elerydd yn ei gyfrol gyntaf:

Ar ambell brynhawn glawog croeswn y waun at Dafydd Ty'nfron (y Prifardd Dafydd Jones wedi hynny). Yno yn y stabal neu'r beudy yn y gaeaf neu o dan goeden yr ardd fawr yn yr haf y byddem yn trafod barddoniaeth ac yn darllen gweithiau ein gilydd. Derbyniai Dafydd *Y Faner* yn gyson a phrofiad i'w werthfawrogi oedd cael benthyg honno am ddiwrnod neu ddau i wledda ar ei chynnwys a chanfod perlau yna yng ngherdd yr wythnos.

3.

E. Tegla Davies

Hau y Gair mewn byd o'i go', – hau y Gair
  I'n gwerin ddihidio;
  Hau'n ffyddiog ar greigiog ro,
  Hau ganwaith heb egino.

Y Parchedig Gwilym R. Tilsley (1911-1997) ydi awdur yr englyn hwn. Gweinidog Wesla yn cyfarch un o hoelion wyth ei enwad sydd yma. Enillodd y Prifardd Tilsli, a fu'n Archdderwydd Cymru, 1969-1971, y Gadair Genedlaethol ddwy waith. Ef oedd bardd cadeiriol y Genedlaethol yng Nghaerffili ym 1950 am ei awdl boblogaidd 'Awdl Foliant i'r Glöwr', a daeth ei awdl 'Cwm Carnedd', a enillodd iddo Gadair y Genedlaethol yn Llangefni, Sir Fôn, ym 1957, yr un mor boblogaidd. Y flwyddyn honno roedd y testun yn agored a llwyddwyd i ddenu 31 o gystadleuwyr. Ym Mae Colwyn ym 1947 roedd yn gyd-fuddugol â Dewi Emrys ar y soned 'Yr Wybrnant'. Cyhoeddodd un gyfrol o farddoniaeth, *Y Glöwr a Cherddi Eraill* (1958).

'Roedd Tilsli,' meddai'r Prifardd Dafydd Owen, Hen Golwyn, 'yn fardd cymdeithasol, agos atom a adlewyrchodd ei ddydd a'i hwyl a'i helynt mor ffyddlon ac mor gelfydd'.

Bu'r Parchedig Edward Tegla Davies (1880-1967) yn weinidog mawr ei barch gyda'r Wesleaid mewn sawl ardal, ond â Thregarth, Bethesda, Gwynedd, y cysylltir ef amlaf. Pan ymddeolodd ymgartrefodd ym Mangor Uchaf. Awdur toreithiog yn ei ddydd. Ysgrifennodd nofelau i blant, yn eu mysg *Hunangofiant Tomi*; nofelau i oedolion, *Gŵr Pen y Bryn*, y mwyaf adnabyddus ohonynt, a chyhoeddodd ei hunangofiant, *Gyda'r Blynyddoedd*, ym 1952, a chyfrolau o ysgrifau a chyfrolau o bregethau hefyd. Roedd yn ddifyr ei sgyrsiau ar raglenni Cymraeg y radio drwy gydol pumdegau'r ganrif ddiwethaf, rhaglenni fel *Wedi'r Oedfa* a *Pum Munud y Plant* – a ddarlledwyd am bum munud i bump bob prynhawn Sul ar ôl *Caniadaeth y Cysegr*.

Tegla oedd testun y Ddarlith Lenyddol Flynyddol yn Eisteddfod Genedlaethol Wrecsam ym 1977, ac fe'i traddodwyd gan ei gyfaill Islwyn Ffowc Elis. Ni ddylem anghofio cyfraniad Tegla i'n llenyddiaeth yn ystod ail chwarter y ganrif ddiwethaf. Tegla y pregethwr a'r gweinidog a deyrngedir yn yr englyn hwn, un allan o gyfres o englynion gan Tilsli. Mae'r englyn yn ailadrodd y berfenw 'hau' yn drawiadol.

Gweithiwyd yr englyn dros ddeugain mlynedd yn ôl pan oedd mynd ar grefydd drwy lygaid plentyn na allai synhwyro bod crefydd gyfundrefnol wedi hen ddechrau troi at y pared. O edrych yn ôl ar y cyfnod o ugain mlynedd olaf bywyd Tegla, roedd Cymru yn dal i deimlo dyrnod yr Ail Ryfel Byd o dan ei gên a hithau heb ddod ati ei hun wedi'r Rhyfel Mawr. Mae'n ddyrnod sy'n ei brifo o hyd. Mae'n englyn sy'n portreadu heddiw ac yn dwyn i go' englyn y Parchedig Trebor Roberts:

CWYN YR HEN WEINIDOG

Annedwydd fy niadell, – hi a gâr
Hen gyrrau anghysbell:
Mynnu bwyta'r borfa bell,
Mynnu'r comin er cymell.

4.

Y Môr

Anoddun maith, anniddig – ei lanw
Ylch lennydd pell unig;
Pwy rydd dres ar ei gesig?
Pwy nawf ei don pan fo dig?

Awdur yr englyn ydi Eifion Wyn (1867-1926), prif englynwr y
Genedlaethol yn ystod chwarter cyntaf y ganrif ddiwethaf. Yn ystod y
cyfnod hwnnw enillodd gystadleuaeth yr englyn seithgwaith. Yn
Eisteddfod Genedlaethol Caernarfon ym 1906 enillwyd y Gadair gan y
Parchedig J. J. Williams, Pentre, Y Rhondda, y Goron gan H. Emyr
Davies, Pwllheli, myfyriwr wyth ar hugain oed ar y pryd, a'r englyn
gan Eifion Wyn, Porthmadog. Ailadroddodd y tri bardd yr un gamp
ymhen dwy flynedd yn y Genedlaethol yn Llangollen. Mae angen i'r
beirniaid llenyddol fesur a phwyso dylanwad Eifion Wyn ar ddatblyg-
iad yr englyn.

Rwy'n hoff iawn o'i englyn 'Y Rhaeadr', a fu'n fuddugol mewn
eisteddfod ym Mhwllheli ym 1888:

Unlliw fwa llif ewyn – yw'r rhaeadr
Yn chwilfriwio'n sydyn!
Gogoniant gallt o'i gwallt gwyn
Hyd ei hysgwydd yn disgyn.

Mae'r paladr yn nodweddiadol o ganu'r cyfnod, ond mae'r esgyll yn
dangos nad atodiad i eiriadur ydi englyn. Mae yna lun nodedig yn yr
esgyll.

Lledodd ei orwelion o syniadau Oes Victoria amdano. Rydan ni yn
dueddol o gofio amdano fel emynydd, awdur 'Dod ar fy Mhen Dy
Sanctaidd Law' ac 'Efengyl Tangnefedd, Ehed dros y Byd', a thelyn-
egwr, awdur 'Cwm Pennant'.

Cryfder yr englyn stormus ydi ei esgyll. Cwpled, er bod tinc ei gyfnod arno, sy'n gofyn cwestiynau oesol wrth i rywun wylio'r môr ar ddiwrnod stormus. Wrth edrych ar lun o dirlun Syr Kyffin Williams, 'Môr Garw Porth Dafarch', daw'r cwpled yn fyw. Daw 'Cofio' Waldo i'r cof wrth ddarllen yr ail linell, a cheir tinc o gwpled enwog Goronwy Owen yn yr esgyll. Ni all dyn osgoi ei lenyddiaeth.

5.

Neuadd Glyndŵr
(Machynlleth)

Gwêl, Lyndŵr, mae gelyn dy iaith – â'i law
    Ar hen lys dy gyfraith;
    Rho o'i dderw heddiw araith
    A'n tynn i gyd at ein gwaith.

John Penry Jones, Y Foel, Llangadfan, Powys, a fu farw ym 1989, ydi awdur yr englyn hwn. Crydd fel ei dad oedd wrth ei alwedigaeth. Meddai ef amdano mewn englyn ysgafn:

    Ni wyddai'r cynganeddion, – er, mae'n wir,
        Y mwynhai'r englynion;
        Ni allai greu penillion,
        Ond gwych am draed sych oedd Siôn.

Mae mwy o ddyfnder yn ei englyn arall i'w dad:

    Â'r crydd di-fraw gerllaw'r llen, – hawdd oedd gweld
        Â'i ddydd gwaith yn gorffen,
        Ofalu o'i law felen
        Dynnu'r pwyth yn dynn i'r pen.

Pan gaeodd y gweithdy yn Y Foel gwasanaethodd John Penry Jones ei ardal fel postmon cydwybodol.

Enillodd Gadair Eisteddfod Môn, Beaumaris, ym 1973. Yn Eisteddfod Genedlaethol Llanbedr Pont Steffan, 1984, enillodd Dlws Barddas dan feirniadaeth y Parchedig D. Gwyn Evans am gasgliad o bymtheg epigram ar ffurf cwpledi cywydd heb eu cyhoeddi o'r blaen. Un ohonynt oedd

> Ofnaf i lu fyw'n aflêr
> Wedi peidio â'u pader.

Cyhoeddwyd cyfrol o'i waith yn y gyfres Beirdd Bro. *Yn Felys o'r Foel* oedd teitl y detholiad o waith John Penry Jones a gyhoeddwyd gan Bwyllgor Llên a Llefaru Eisteddfod Talaith a Chadair Powys, Dyffryn Banw 1994.

Yn *Barddas*, rhifyn mis Mai 1989, cyhoeddwyd cyfres o chwe englyn coffa iddo gan Monallt. Mae'r trydydd englyn yn ategu'r hyn a bleidiodd John Penry Jones yn yr englyn i 'Neuadd Glyndŵr':

> Beunydd y bu'n ymboeni – am yr iaith
> Gymraeg ym mro'i eni;
> Yn Y Foel mynnai foli
> Hynt ei thras a'i hurddas hi.

Mae'r englyn i 'Neuadd Glyndŵr', fel ei englynion i gyd, o safon uchel, ac yn ymddangos yn ddiymdrech o raenus. Fel y dywedodd y Prifardd Emrys Roberts yn ei bortread o John Penry Jones yn *Barddas*, Chwefror 1977:

> . . . daethpwyd i'w adnabod fel bardd na ollyngai ddim o'i law heb fod sglein fel esgid newydd ar y gwaith.

Er mai Senedd-dy Glyndŵr ym Machynlleth sy'n gefndir i'r englyn, darlun o'r genedl Gymreig sydd ynddo. Cymru ydi'r llys yn yr ail linell. Mae'n rhaid i ni'r Cymry cydwybodol dorchi ein llewys dros ein Cymreictod, wiw llaesu dwylo; mae'n rhaid i ni ein hatgoffa ein hunain yn feunyddiol i gadw'r baw o'r ffynnon a thynnu i gyd at ein gwaith. Yn ddiweddar datgelodd yr adroddiad 'Poblogaeth Cymru 2008' y gwahanol ganrannau o'r boblogaeth a oedd yn ymfalchïo mai Cymry oeddynt. Ym Mlaenau Gwent roedd wyth deg saith y cant yn datgan hynny; pedwar deg un y cant yn Sir y Fflint. Yng Nghastell-nedd a Phorth Talbot, wyth deg dau y cant yn Gymry, ac ym Mhowys, pum deg dau y cant. Yn siroedd y Fro Gymraeg dybiedig roedd saith deg chwech y cant yn Sir Gaerfyrddin, saith deg un y cant yng Ngwynedd, chwe deg pedwar y cant ar Ynys Môn a phum deg dau y cant yng Ngheredigion a Sir Ddinbych yn datgan mai Cymry oeddynt.

Un o arfau'r gelyn ydi difaterwch, ac mae'n rhaid i ni ein hysgwyd ein hunain ohono a siarad yr iaith ymhob man. Agwedd arall ar y gwaith sy'n werth ei wneud ydi arddel ein Cymreictod a dangos ein bod yn fyw. Mae'n ddyletswydd ar englynwyr Cymru o dro i dro i'n hatgoffa am ein hetifeddiaeth gyfoethog a'i chyflwyno'n fyw i'r oesoedd a ddêl.

6.

Yr Ysgol Gymraeg

Cymry a wybu obaith – o'i hagor
Mewn Seisnigaidd dalaith;
Daw i fri drwy adfer iaith
A gweini uwch gwae heniaith.

Tomi Evans (1905-1982), Tegryn, Sir Benfro, ydi awdur yr englyn, Prifardd y Genedlaethol, Rhydaman 1970, am ei awdl 'Y Twrch Trwyth'. Ef oedd y cyn-chwarelwr cyntaf i ennill y Gadair yn ail hanner yr ugeinfed ganrif. Dros y blynyddoedd bu'n enillydd cyson yn y Genedlaethol, ar y cywydd a'r englyn. Bu'n aelod o Dîm Ymryson y

Beirdd Sir Benfro, yn ystod cyfnod Sam Jones a Meuryn. Aelod o deulu diwylliedig Blaen Ffynnon a godwyd mewn ardal a fu'n driw i'r diwylliant gwledig Cymreig. Brawd iddo oedd y Parchedig D. Gwyn Evans, Aberystwyth (1914-1995). Dysgwyd y cynganeddion iddo gan y diweddar Owen Davies, Y Glog, athro beirdd di-ail. Cyhoeddwyd ei gyfrol o farddoniaeth *Y Twrch Trwyth a Cherddi Eraill* gan Wasg Gomer ym 1983.

Un o ryfeddodau deugain mlynedd olaf y ganrif ddiwethaf oedd sefydlu Ysgolion Cymraeg yn y De-ddwyrain – Ysgolion Cynradd ac Uwchradd. O ganolbwyntio yn unig ar Gwm Rhymni fel esiampl o'r hyn sy' ar droed yn y De-ddwyrain deallwn yn well englyn Tomi Evans. Sefydlwyd Ysgol Gymraeg yn nhre' Rhymni ym mhen ucha'r Cwm ym 1955 dan nawdd yr hen Sir Fynwy. Erbyn heddiw mae Ysgolion Cynradd Cymraeg yn Aberbargoed, Bargoed, Ffleur-de-Lys, Ystrad Mynach, dwy yng Nghaerffili ac un yng Nghwm yr Aber. Agorwyd Ysgol Gymraeg Gyfun Cwm Rhymni ym Margoed ym 1983, ac mae sŵn ym mrig y morwydd am agor un arall yn y Cwm ac un neu ddwy o ysgolion cynradd Cymraeg.

Cofiaf un o arolygwyr ei mawrhydi yn dweud flynyddoedd yn ôl y byddem yn gwneud cam cadarn i'r cyfeiriad iawn pe baem yn ennill un disgybl o gartref di-Gymraeg i siarad Cymraeg ac i gael blas ar y diwylliant Cymraeg. Mae'r Ysgolion Cymraeg yn cyflwyno dimensiwn newydd i'n diwylliant, un y mae'n rhaid i mi a fagwyd ar ddiwylliant cefn gwlad Sir Fôn, ac a ddatblygodd i fod yn geidwadwr diwylliedig, ei dderbyn. Nid fy ngobaith i ydi gobaith pawb sydd yn Sector Addysg Gymraeg y De-ddwyrain.

7.

Llywelyn ein Llyw Olaf

Dy gwymp a'n gwnaeth yn gaethion, – dy ryddid
    A roddaist i'n calon;
  O'r graith fawr, daw'r gwŷr o'th fôn,
  O dywysog, dy weision.

Waldo Williams (1904–1971) ydi awdur yr englyn hwn sy'n ein
cymell i gadw'r ffynnon yn lân. Ganwyd ef yn Hwlffordd ym 1904, ac
ar ddechrau ail ddegawd y ganrif ddiwethaf symudodd y teulu o'r Sir
Benfro Seisnig i Fynachlog-ddu ac ardal ddiwylliedig y Preselau. Hwn
oedd un o'r symudiadau teuluol pwysicaf yn hanes llenyddiaeth Gym-
raeg. Dyma'r ardal a esgorodd ar y bardd yn Waldo, ardal sy'n gefndir
i'w gerddi crefyddol a chenedlaetholgar – cerddi y mae'n rhaid eu
cyfri ymhlith cerddi mawr ein cenedl. Cenedlaetholwr styfnig ei
egwyddorion oedd Waldo, ac un a dalodd yn ddrud am fod yn driw
iddynt.

Englyn cadarn ydi'r englyn hwn, englyn gwleidyddol sy'n ein galw
i ddarllen am Lywelyn ap Gruffydd, ein Llyw Olaf (a laddwyd ym
1282), i ystyried ei stori ac i weithredu yn ein bröydd hyd eithaf ein
gallu. Fel caethion rydym yn dueddol i freuddwydio am ryddid ac i
gecru ymysg ein gilydd. Mae dylanwad cwymp Llywelyn, ym mis
Rhagfyr 1282, yn pwyso'n drwm yn ein hisymwybod o hyd.

Gweithiodd Waldo Williams englyn ysgafn yn darlunio tymor hir-
lwm Plaid Cymru yn y rhan fwyaf o'n gwlad adeg etholiad Cyffredinol
Hydref 8, 1959, pryd y safodd fel ymgeisydd Plaid Cymru yn etholaeth
Sir Benfro, gan dderbyn 2,253 o bleidleisiau:

I mewn heb sôn am enaid – i glywed
    Y glewion wroniaid;
  O Dduw! Tydi a ddywaid
  Ai tri ydyw'r blydi blaid?

Mae hanes Llywelyn y Llyw Olaf (Llywelyn ap Gruffudd) yn dal i bwyso ar ein henglynwyr, er enghraifft, Moi Parri (*Barddas*, Gorffennaf/Awst 1985):

> Er ei ladd, er ei gladdu – yn anrhaith
> Saith canrif o wadu,
> Mae ei enaid yn mynnu
> Rhoi o'r llwch yr her i'r llu.

Onid ydi her Waldo i ni yn esgyll yr englyn uchod?

8.

I Hazel

('Ond fe dyf cariad fel derwen . . .' Saunders Lewis)

> Hyd y maes dim ond mesen – yno syrth
> Gyda sigl y gangen;
> Dros amser tyf y dderwen
> Yn y pridd, cadarn yw'r pren.

Y Prifardd James Nicholas, brodor o Dyddewi, Sir Benfro – yr hen Ddyfed, ydi awdur yr englyn gafaelgar hwn. Yn nifer o'i gerddi mae'r bardd wedi dal y swyn sy' ar ei ranbarth genedigol. Enillodd Gadair Genedlaethol Y Fflint, 1969, am ei awdl grefftus yn trafod cerfluniau Henry Moore, awdl sy'n dangos ehangder ei ddiwylliant. Bu'n Archdderwydd Cymru 1981-1983 a Chofiadur Gorsedd y Beirdd 1984-2005, ac mae'n awdur tair cyfrol o farddoniaeth: *Olwynion a Cherddi Eraill* (1967), *Cerddi'r Llanw* (1969) a *Ffordd y Pererinion* (2006) – cyfrol i lêngarwyr sy'n hoffi hudoliaeth geiriau wedi eu trin yn grefftus.

Ym Mhabell Lên y Genedlaethol, Tyddewi, Sir Benfro a'r Cyffiniau, 2002, cynhaliwyd Cyfarfod Teyrnged iddo gan Barddas. Cyhoeddwyd llawer o'i gerddi unigol mewn blodeugerddi dros y blynyddoedd. Yn y gyfrol *Beirdd Penfro* (1961), a olygwyd gan y Parchedig W. Rhys Nicholas, y deuthum ar draws ei englyn i Gadair Ddu Birkenhead:

Y GADAIR DDU

(*Wedi ymweld â'r Ysgwrn*)

Mae du wawr drom y deri – yn gaddug
　　Tragwyddol amdani;
　　A naddwyd yn ddwfn iddi
　　Dristwch yn ei harddwch hi.

Englyn a gododd awydd ynof i ddychwelyd i Drawsfynydd.

　　Englyn o deyrnged i'w wraig Hazel ydi hwn, ac wrth ei ddarllen clywaf y gân werin 'A chariad pur sy' fel y dur yn para tra bo dau'. Un o nifer fawr o englynion cariad y mae'r bardd wedi eu canu i'w wraig. Cyhoeddodd nifer ohonynt yn ei ail gyfrol. Mae'r englyn wedi ei adeiladu'n grefftus o gwmpas delwedd cylch y dderwen – agor gyda'r fesen yn syrthio o'r gangen i'r ddaear ac ymhen amser yn datblygu o fod yn goeden ifanc i fod yn dderwen gadarn. Englyn sy'n clodfori cariad a phriodas.

9.

Huw T. Edwards

Derwen o'n tir a dorrwyd, – brenhinbren
　　I'w henbridd a fwriwyd;
　　Cangen ar gangen a gwyd
　　O'r dderwen fawr ddaearwyd.

Awdur yr englyn ydi'r Prifardd Mathonwy Hughes (1901-1999), bardd y Gadair yn y Genedlaethol yn Aberdâr, 1956, am awdl ysgafn,

21

'Moliant i Wraig', hen lanc ar y pryd yn sôn am fywyd priodasol! Bu'n Is-olygydd *Y Faner* am flynyddoedd gan gydweithio â'i gyfaill y Prifardd Gwilym R. Jones, Dinbych. Bu'n agos at gipio Coron Genedlaethol Y Bala am ei bryddest 'Corlannau'. Eisteddodd ar fraich y Gadair Genedlaethol yn Y Fflint, 1969, a Llangefni, Ynys Môn, 1983. Golygodd Golofn Farddol *Y Faner* am flynyddoedd. Cyhoeddodd nifer fawr o gyfrolau, yn eu plith pum cyfrol o farddoniaeth: *Ambell Gainc* (1957), *Ar y Cyd* (1962), gyda Gwilym R., Huw T. Edwards a Rhydwen Williams, *Corlannau a Cherddi Eraill* (1971), *Creifion* (1979) a *Cerddi'r Machlud* (1986). Cyhoeddodd ddwy gyfrol o astudiaeth lenyddol, sef *Awen Gwilym R.* (1980) a *Perlau R. Williams Parry* (1981).

Ef a weithiodd yr englyn coffa sydd ar garreg fedd fy nhad ym mynwent Eglwys Pentraeth, Ynys Môn:

GOF RHOS CEFN HIR
(Edward Hughes 1906-1981)

Y ring yn nur ei engan – adwaenid
        Unwaith gan fro gyfan,
A dur seiniol dwyfol dân
Fu'i enaid ef ei hunan.

Testun ei englyn ydi Huw T. Edwards, gŵr amlwg yng ngwleidyddiaeth Cymru yng nghanol y ganrif ddiwethaf. Dywedwyd ei fod yn ormod o genedlaetholwr o fewn y Blaid Lafur a phan ymunodd â Phlaid Cymru (1958-1965), nid oedd ei sosialaeth werinol yn taro tant yng nghalon y cenedlaetholwyr. Mae gwaith diflino Huw T. Edwards dros Gymru yn dangos yn glir mai o gam i gam yr adeiledir canllawiau cenedl. Bu ei waith y tu ôl i'r llenni yn gymorth mawr i wleidyddion ei gyfnod sylweddoli bod Cymru yn bodoli a'i bod yn genedl wâr. Mae ei weledigaeth yn egino heddiw.

Derwen a loriwyd ydi'r ddelwedd gychwynnol yn englyn Mathonwy Hughes ond ni laddwyd ei mes. Ohonyn nhw y tyf cangen ar gangen i greu derwen arall. Mae'r gynghanedd Sain yn y drydedd linell yn mynegi hyn yn gelfydd.

Ar Gofeb Ryfel Ysgol Dyffryn Nantlle

Anhyddysg mewn trin oeddynt, – a beiau
Ein bywyd oedd arnynt;
A'r un hedd sy'n rhan iddynt
Â'r 'gwŷr a aeth Gatraeth' gynt.

Gwilym R. Jones, Dinbych (1903-1993), sy'n cael ei adnabod yn annwyl iawn yng nghylch y Pethe fel Gwilym R., ydi awdur yr englyn diflewyn-ar-dafod hwn. Ef oedd y cyntaf o dri yn hanes y Genedlaethol i ennill ei thair prif wobr lenyddol. Enillodd y Goron am ei bryddest 'Ynys Enlli' yng Nghaernarfon, 1935; y Gadair yng Nghaerdydd, 1938, am ei awdl ''Rwy'n Edrych dros y Bryniau Pell', ac ym 1941 enillodd y Fedal Ryddiaith am ei nofel *Y Purdan*. Newyddiadurwr a chenedlaetholwr diwyro y mae ein dyled yn enfawr iddo oedd Gwilym R. Na ddilornwn ei gyfraniad mawr, nac un ei gyfaill Mathonwy Hughes, fel Golygydd *Y Faner* am flynyddoedd (1945-1977). Aberthodd lawer ar ei mwyn, safodd yn gadarn yn y bwlch pan aeth eraill o'r tu arall heibio.

Fel y dywedodd Gwilym Roberts, Trefriw, Dyffryn Conwy: 'A rhoi oes o'i waith yn rhodd'.

Ar ôl ei lwyddiannau eisteddfodol ni orffwysodd ar ei rwyfau. Daeth yn feistr ar y *vers libre*, ac ystyrir ei gerdd 'Cwm Tawelwch' ymhlith y goreuon. Mor wir ydi llinell agoriadol yr englyn coffa hwn. Ynddo gwelaf y llu o weision ffermydd o Ynys Môn a ymunodd yn ddall â'r fyddin. Yn eu mysg roedd cefnder fy nhad, Bob, hogyn Yncl Bob Bodorgan, brawd hynaf fy nhaid. Cafodd ei ladd ar Fawrth 15, 1918. Roedd fforch garthu yn fwy esmwyth yn ei law na gwn. Er ein crefydda ffuantus ers dwy ganrif, dal i sgyrnygu ei ddannedd mae'r Diafol. Hynny a'n gyrrodd i ryfela ym 1914 hyd at 1918 ac wedyn ar ôl y blynyddoedd ansicr yn nhir neb eilwaith rhwng 1939 ac 1945. Mae sŵn rhyfel yn dal ar ein clyw. Mae uffern Catráeth yn cael ei hailadrodd a'i hailadrodd a'r milwyr ieuanc yn dal i gael eu lladd. A'r hen gwestiwn oesol i'w glywed uwch y ffrwydradau: i beth?

11.

Bom

Mae twrw ei henw hi – yn 'y mhen
Ac mae hynny'n profi
Bod y weiran heb dorri:
Y mae hi'n fom ynof fi.

Bardd y Gadair yn y Genedlaethol, Meifod 2003, ydi awdur yr
englyn hwn, Twm Morys, un o gymeriadau mwyaf gwreiddiol ein
llenyddiaeth gyfoes. Ef ydi Golygydd Colofn Farddol *Y Cymro*, a
diolch i'r papur wythnosol am atgyfodi'r golofn addysgiadol. Mae
Twm yn dilyn yn ôl troed nifer o Brifeirdd a fu'n golygu'r golofn ers
cyn yr Ail Ryfel Byd (1939-1945). Bu Dewi Emrys, Meuryn, y Parch-
edig William Morris. T. Llew Jones. W. D. Williams, Alan Llwyd ac
Emrys Roberts wrth y gwaith. Mae Twm Morys yn ymrysonwr amlwg
yn Ymrysonau'r Genedlaethol ers blynyddoedd, fel aelod cadarn o
Dîm Gweddill Cymru – enw Rhaglen y Dydd ar y pedwar ymrysonwr
o Wynedd! Ar wahân i fod yn aelod o Weddill Cymru mae hefyd yn
aelod o Dîm y Tywysogion, Talwrn y Beirdd, Radio Cymru, ac yn
Feuryn wrth-gefn y rhaglen. Mae'r bardd wedi cyhoeddi dwy gyfrol
o'i gerddi, *Ofn Fy Het* (1995) a *2* (2002), gyda Chyhoeddiadau Barddas.
    Un o englynion Ymrysonau'r Babell Lên ydi hwn, dan y teitl 'Hen
Gariad', sef Ymryson y Beirdd Eisteddfod Genedlaethol Castell-nedd,
1994. Tros y blynyddoedd rydan ni wedi cael englynion cofiadwy,
englynion sy'n cynnwys llinellau gosodedig o'r cyfnod diweddaraf
yn hanes yr Ymryson, a sefydlwyd yn y Babell Lên yn Eisteddfod
Genedlaethol Ynys Môn, Llangefni, 1983. Cafwyd englynion fel yr un
i gyfarch y Prifardd Elwyn Edwards ar ennill y Gadair yng Nghas-
newydd, 1988, gan Myrddin ap Dafydd; englyn i gofio Gari Williams
gan Llion Elis Jones yng Nghwm Rhymni, 1990, ac mae amryw eraill.
Yn ôl ei arfer mae'r englynwr wedi cael golwg newydd ar y testun ac
wedi ei fynegi yn glir mewn iaith â thinc yr iaith lafar iddi.

Englyn sy'n dangos yr ochr arall i gariad, englyn sy'n disgrifio'r teimladau sy' gan rywun pan ddaw perthynas i ben, ac englyn sy'n dwyn i go' ddyddiau glaslencyndod, dyddiau cariad undydd unnos a dyddiau colli cyfle, ydi hwn. Wrth gofio cariadon ysgol gynradd gwenu y mae rhywun, ond wrth gofio cariadon glaslencyndod mae'r atgofion yn gymysglyd, diolch am gael adnabod rhai merched a 'difaru ar yr ochr arall bod rhywun wedi cyboli ag ambell un.

Mae'r englyn hwn yn dwyn i go' englyn Gwilym Fychan yn yr Ymryson ym Mro Ogwr, 1998, englyn yn cynnwys y llinell 'Hen gariadon yn gwrido':

> Afiaith bellach yw cofio – fy adeg
> Yn 'steddfodau'r cyffro:
> Ond daw i'r Ŵyl yn eu tro
> Hen gariadon yn gwrido.

Yn ei hastudiaeth o farddoniaeth Twm Morys, dywedodd Nia Heledd Williams, Bangor, am yr englyn hwn: 'Un elfen nodedig yn ei gerddi serch yw fod y delweddau mor annisgwyl. Awgrymu grymuster aruthrol serch a wna'r englyn . . .'

12.

Clirio'r Tŷ

> Annwyl oedd popeth inni, – trysorau
> Trwy oes hir nes ichi
> Wagio'r lle gan ein rhegi,
> Creu tir neb o'n cartre ni.

Profiad dirdynnol i unrhyw un ydi chwalu cartref ar ôl marwolaeth yr olaf a oedd yn byw ynddo. O'm profiad fy hun, cefais ryw ryddhad o fwrw i'r gwaith annymunol drannoeth wedi cynhebrwng fy mam. Pe bawn i a fy chwaer wedi oedi am ddiwrnod neu ddau anos fyddai'r gwaith. Gan fod fy mam ag anian archifydd roedd tomen o bapurau i'w didoli ar wahân i'r dodrefn a gweddill cynnwys y cartref. Gwagio cartref ei deulu-yng-nghyfraith yn Abertawe a ysgogodd Alan Llwyd i weithio'r englyn hwn. Englyn a afaelodd ynof y tro cyntaf y darllenais ef yn y cylchgrawn *Barddas*. Cofiais wrth ei ddarllen am y cwestiwn a godai yn fy meddwl i wrth fynd drwy bapurau fy mam, 'Wel, 'rhen wraig, i be' goblyn oedd eisiau cadw hwn?' Englyn cadarn ei grefft a'r bedwaredd linell yn eco o sŵn cloi'r drws am y tro olaf. Yng nghefn fy meddwl hefyd mae John Davies *O Law i Law* T. Rowland Hughes a hefyd yr englyn 'Tŷ Gwag (ar ôl ymweld â Sain Ffagan)' gan Alan Llwyd:

> Cartref gwag lle bu magu – teuluoedd,
>   Ond dilewyd hynny,
>   Ac einioes nid oes i dŷ
>   Na bodolaeth heb deulu.

Mae gan James Morris James, Blaen Celyn, Ceredigion, gwpled arhosol a chofiadwy hefyd:

> Nid to a wal sy'n gwneud tŷ
> Yn aelwyd ond y teulu.

Aeth Alan Llwyd yn bendant at ei waith oddi wrth ei wobr yn egnïol. Bu cyfnod yn hanes enillwyr prif wobrau llenyddol y Genedlaethol o feirniadu'n hallt y mwyafrif llethol ohonynt am roi'r argraff mai gorchwyl oriau hamdden oedd llenydda ac mai gwaith ar eu cyfer eu hunain yr oeddynt yn ei ysgrifennu, gwaith i ennill gwobrau pwysig. Daeth tro ar fyd. Ar ôl ennill y Gadair a'r Goron yn y Genedlaethol, Dyffryn Clwyd, 1973, y cyntaf i wneud hynny ers i T. H. Parry-Williams gyflawni'r gamp eilwaith yn y Genedlaethol ym Mangor ym 1915, bwriodd iddi i farddoni a llenydda. Ailadroddodd y dwbl yn y Genedlaethol yn Aberteifi, 1976. Ers 1973 mae ei gyfraniad wedi bod yn aruthrol. Cyfraniad pwysig ganddo rhwng Rhagfyr 1973 a Medi 1977 oedd ei golofn farddol yn *Y Cymro*. Drwyddi daeth â dimensiwn newydd i englyna yng Nghymru.

Ddegawd yn ddiweddarach bwriodd iddi i ddatblygu'r cylchgrawn *Barddas* a sefydlu Cyhoeddiadau Barddas. Nododd *Gwyddionadur Cymru* (2008) ei gyfraniad: 'Yn 1976 sefydlwyd y Gymdeithas Gerdd Dafod, a daeth ei chylchgrawn *Barddas* (Hydref 1976-) yn neilltuol lwydd-iannus o dan olygyddiaeth y bardd a'r beirniad toreithiog Alan Llwyd (g.1948)'.

Yn nawdegau'r ganrif ddiwethaf cyhoeddodd ddau gofiant pwysig, *Gwae Fi fy Myw*, cofiant Hedd Wyn (1887-1917), a *Gronwy Ddiafael, Gronwy Ddu*, cofiant Goronwy Owen. Yn ystod degawd cyntaf y ganrif newydd cyhoeddwyd ei dair cyfrol yn olrhain hanes yr Eis-teddfod Genedlaethol. Yn Eisteddfod Genedlaethol Dinbych, 2001, a Barddas yn chwarter canrif oed, cyhoeddwyd cyfrol deyrnged, *Alan*, i Alan Llwyd gan y Gymdeithas.

13.

Cwch

Uwchlaw dŵr ein harbwr ni, – yr eiliad
    Pan fo'r hwyliau'n llenwi
Yr wyt am fwrw ati –
'Wn i ddim a feiddia' i.

Daeth Mererid Hopwood, awdur yr englyn hwn, i sylw'r genedl pan enillodd y Gadair Genedlaethol yn Eisteddfod Genedlaethol Dinbych, 2001, am ei hawdl 'Dadeni', y ferch gyntaf i gyflawni'r gamp. Bu'n curo ar y drws ddwy neu dair blynedd ynghynt. Yn y Genedlaethol ym Meifod, 2003, enillodd y Goron am ei phryddest

'Gwreiddiau'. Yn Eisteddfod Genedlaethol Caerdydd, 2008, enillodd y Fedal Ryddiaith am ei nofel synhwyrus a barddonol *O Ran*, nofel ac iddi gefndir dinesig. Mae hi yn dilyn yn ôl troed y Prifardd Gwilym R. Jones a gyflawnodd y Gamp Lawn mewn chwe blynedd, a'r Prifardd Tom Parri Jones, Tŷ Pigyn, Malltraeth, Ynys Môn. Y Prifardd Mererid Hopwood ydi'r Swyddog Cysylltiadau Celtaidd yng Ngorsedd y Beirdd.

Mae hi hefyd yn flaenllaw iawn gydag Ysgol Farddol Caerfyrddin. Bu hefyd am flwyddyn yn Fardd Plant Cymru a mawr yw ei chyfraniad i lenyddiaeth plant. Yn dilyn ôl troed y Prifardd T. Llew Jones a'r Prifardd Emrys Roberts yn ddiweddar mae nifer cynyddol o brifeirdd yn gweld pwysigrwydd cyfrannu at lenyddiaeth plant. Cafodd y plant flas ar ddarllen ei cherddi i fis Awst yn y gyfrol *Ar Hyd y Flwyddyn*, casgliad swynol o straeon a cherddi a gyhoeddwyd gan Wasg Gomer yn 2007. Bu'n gyfrifol am drosi i'r Gymraeg y gyfrol *Yn y Lle Hwn*, cyfrol hardd i ddathlu canmlwyddiant sefydlu'r Llyfrgell Genedlaethol yn Aberystwyth. Cyfrol boblogaidd iawn arall y bu'n gysylltiedig â hi oedd *Nadolig Llawen* – cyfrol o gerddi gwreiddiol a weithiodd ar y cyd â'r Prifardd Tudur Dylan Jones.

Un o englynion Ymryson y Beirdd yn Eisteddfod Genedlaethol Eryri, 2005, ydi hwn. Stori fer o englyn am gymeriad ar y lan yn crogi rhwng dau feddwl wrth wylio ei bartner yn paratoi ei gwch i hwylio i rywle. O gofio safle'r maes yn Y Faenol lle y gweithiwyd yr englyn hwn, dafliad carreg o'r Felinheli a bron ar lan y Fenai, mae sŵn 'Twm Huws o Ben y Ceunant a Roli Bach ei frawd' i'w glywed rhwng y llinellau. Englyn deialog ydi hwn. Beth tybed fuasai ateb yr un sydd ar fwrdd y cwch? Mae'r englyn hwn yn sbardun i ddrama fer a'r deialog mewn englynion a chwpledi.

Drwy gydol y blynyddoedd rydan ni wedi cael englynion sy'n gwneud i rywun fyfyrio uwchben eu cynnwys am amser hir wedi'r ymryson. Mae hwn yn un ohonynt. Mae'r llinell glo mor naturiol â sgwrsio.

14.

Draenen

Lleian addfwyn y llwyni – a hafwisg
  Mehefin amdani;
Ond yn heth y dinoethi
Ar y gwrych oer, gwrach yw hi.

Testun cystadleuaeth yr englyn yn Eisteddfod Genedlaethol Y Bala, 1967, oedd 'Draenen', a'r beirniad oedd J. Eirian Davies, Yr Wydd-grug. Derbyniwyd 209 o englynion ac yr oedd hwn yn un o ddau gan J. Lloyd Jones yn y gystadleuaeth. Er mawr syndod i'r englynwyr fe ataliwyd y wobr a bu trafod ar y feirniadaeth am flynyddoedd wedyn. Clywir murmuron o'r anghrediniaeth fod y wobr wedi cael ei hatal hyd heddiw. Yr unig dro arall i J. Eirian Davies feirniadu cystadleuaeth yr englyn yn y Genedlaethol oedd yng Nghwm Rhymni, 1990. Am y gystadleuaeth yn Y Bala, dywedodd Alan Llwyd hyn yn ei gyfrol *Barddoniaeth y Chwedegau* (1986): '. . . gellid dal i Eirian Davies fod yn rhy gondemniol o feirniadol yng nghystadleuaeth yr Englyn i'r 'Ddraenen' . . . yr oedd mwy nag un o'r englynwyr yn deilwng o'r wobr'. Yn eu plith yr oedd John Lloyd Jones. *Penbryn* oedd ei ffugenw. Ar ôl y gystadleuaeth newidiodd yr englynwr y drydedd linell. 'Ond un waith daw'r dinoethi' a geid yn wreiddiol. Fe'i beirniadwyd am hollti'r gair 'unwaith' yn 'un waith'.

Y dydd o'r blaen euthum heibio i Benparce, Llwyndafydd, lle bu'r englynwr, John Lloyd Jones (1905-1990) yn byw am 45 o flynyddoedd cyn ymddeol i Aeronfa Llangrannog. A hithau yn dymor yr hirlwm sylwais ar y cloddiau o gwmpas y tyddyn, yr un cloddiau ag y sylwodd John Lloyd Jones arnynt pan oedd yn hel ei feddyliau ar y testun yn Y Bala. Drwy'r blynyddoedd, fel amaethwr, sylwodd ar brydferthwch y ddraenen yn yr haf ac yna ar ei hagrwch ymhen ychydig fisoedd. Cafwyd yr un math o sylwgarwch gan y Parchedig Roger Jones, Talybont, Ceredigion, yn ei englyn ef yn y gystadleuaeth.

Ym 1984 cyhoeddwyd cyfrol o farddoniaeth gan John Lloyd Jones, *Grawn y Grynnau*, teitl a gafwyd gan T. Llew Jones. Brodor o Fanc Siôn Cwilt oedd John Lloyd Jones, ac yn aelod o deulu sy' wedi rhoi cyfraniad cyfoethog i ddiwylliant y fro. Treuliodd ei oes yn ffermio yn ei chysgod. Fel y dywedodd R. J. Rowlands, Y Bala, wrth adolygu'r gyfrol yn *Barddas*, Hydref 1984: '. . . diolchwn lawer am rai a arhosodd yn eu hardaloedd, yn waelod i'r bywyd gwâr ac i gadw'r iaith yn loyw yn eu bro'.

Talodd ei nai, y Prifardd Idris Reynolds, deyrnged iddo yn *Barddas*, Ebrill 1990. Meddai: 'Ond nid cyfyng ei weledigaeth. Edrychodd ar y byd drwy lygad sylwgar gwladwr diwylliedig a mynegodd y weledigaeth honno yn delynegol gain ar hen fesurau yr awen Gymreig. Ac yn yr englyn 'Talar' delweddir nid yn unig hanes ei fywyd ei hun ond profiad dynoliaeth gyfan, gan y bardd amaethwr'. A dyma'r englyn hwnnw:

> O'i chwr hi y dechreuaf – droi y gŵys,
> Draw o'i gwar gollyngaf;
> Rhyw unig hwyr arni caf
> Helynt y gollwng olaf.

Daliodd Idris Reynolds gymeriad ei ewythr yn ei englyn coffa iddo:

> Plethai'r gân fel perth lanwaith – â'i lygad
> Yn ei phlygu'n berffaith;
> A rhoi o ŷd hafau'r iaith
> A wna grawn ei gywreinwaith.

15.

Mainc

Ar garreg deg goruwch y dŵr – yno
Fe gwestiynaf grefftwr
Y sedd am nad wyf yn siŵr
A yw'n saer neu'n gonsuriwr.

Un o'r nythiad o feirdd cynganeddol ifanc sy'n gwneud enw iddynt eu hunain ydi awdur yr englyn hwn. Enillodd yr englyn Dlws Coffa T. Arfon Williams i Hywel Griffiths, Caerfyrddin, am Englyn Cywaith gorau Ymryson y Beirdd Eisteddfod Genedlaethol Eryri a'r Cyffiniau, 2005. Pan fethodd ymrysonwyr Clwyd â chytuno i ymddangos yn Ymryson y Beirdd 2004, gwahoddwyd pedwar bardd ieuanc – Aneirin Karadog, Rhys Iorwerth, Iwan Rhys a Hywel Griffiths – i lenwi'r bwlch. O'r dasg gyntaf un yn Ymryson Casnewydd fe greodd y pedwar, Tîm y Deheubarth, gryn argraff gyda sylwedd eu gwaith. Ers y Genedlaethol Bro Ogwr, 1998, pan ymunodd Eurig Salisbury, cyfaill Hywel a'i athro barddol, â'r Gymdeithas Gerdd Dafod, rydw i wedi dilyn eu datblygiad fel beirdd. Gwefr yw gweld datblygiad bardd o'i ddyddiau ysgol, ei flynyddoedd yn y coleg ac yna yn ddyn ieuanc yn cerdded yn hyderus tuag at Gadair yr Eisteddfod Genedlaethol. Mae Hywel yn cynrychioli drwy'r englyn hwn yr holl feirdd ieuanc sy'n ymrysona yn y Genedlaethol bob blwyddyn a hefyd yn talyrna ar Radio Cymru.

Enillodd Gadair Eisteddfod Genedlaethol yr Urdd yn Ynys Môn, 2004, ac eilwaith ym mro ei febyd yng Nghaerfyrddin, 2007. Yn Eisteddfod Genedlaethol Caerdydd a'r Cylch, 2008, enillodd Hywel Griffiths y Goron am ei gasgliad o gerddi 'Stryd Pleser'. Mae'r beirdd ieuanc yn dod i'w hoed ac yn cynnig dimensiwn grymus i'n barddoniaeth. Mae dyfodol ein canu cynganeddol mewn dwylo cadarn.

Pan glywais yr englyn hwn am y tro cyntaf fe'm gwelais fy hun yn eistedd ger Craig y Don uwchben traeth euraid Llangrannog, yn rhyfeddu at brydferthwch Bae Ceredigion gan fy holi fy hun sut y daeth y lle i fodolaeth. Dweud wrthyf fy hun am ddarllen eto bennod gyntaf Genesis gyda'r pwyslais ar ddarllen rhwng y llinellau. Teimlaf nad oedd awdur Genesis yn siŵr ychwaith. Englyn ymholgar ydi'r englyn un frawddeg hwn; englyn sy'n dal i frigo i'r meddwl wrth i mi ymbalfalu i gael trefn ar fy meddyliau; englyn Arfonaidd.

16.

T. Llew Jones yn 90

A gwn nad dychymyg yw – yr arwyr
a erys hyd heddiw:
yn ei fêr y maent yn fyw,
darn ydynt o'r hyn ydyw.

Y Prifardd Ceri Wyn Jones ydi awdur yr englyn cyfarch hwn. Codwyd ef o gyfres o naw englyn a ddarllenodd y bardd yn y cyfarfod yng Ngwesty'r Emlyn, Tan-y-groes, Ceredigion, i ddathlu pen-blwydd T. Llew Jones yn 90 oed ar Hydref 11, 2005. Mae'r englyn yn crynhoi cyfraniad aruthrol T. Llew Jones fel awdur llyfrau plant. Mae'r englynwr wedi dal egwyddor fawr yr awdur wrth fynd ati i ysgrifennu ar gyfer plant Cymru ers dros hanner canrif, sef, os nad ydi'r weithred o ysgrifennu yn tarddu o'r galon, 'dydi'r gwaith ddim yn ddiffuant. Mae'n rhaid i awdur barchu ei gymeriadau; mae'n rhaid iddo gydymdeimlo â nhw. O ganlyniad, mae nofelau a storïau T. Llew Jones yn dal i gael eu darllen. Cyhoeddwyd *Trysor Plasywernen* ym 1958 ac eleni roedd ei nofel *Barti Ddu*, a gyhoeddwyd gyntaf ym 1973, yn un o'r llyfrau a roddwyd ar restr y gystadleuaeth 'Darllen a Mwynhau' – cystadleuaeth i ysgolion cynradd Cymru.

Bardd a gafodd flas ar ddarllen llyfrau T. Llew Jones pan oedd yn blentyn a weithiodd yr englyn hwn; bardd a ddysgodd y cynganeddion yn ei lencyndod wrth draed T. Llew Jones yn Aberteifi. Cadeiriwyd Ceri Wyn Jones yn Brifardd yn Eisteddfod Genedlaethol Meirion a'r Cyffiniau, Y Bala, 1997, am ei awdl 'Gwaddol', awdl sy'n portreadu ffermwr sy' wedi cael ei lethu gan bwysau gwaith, ac awdl sy'n portreadu'r newid ym myd amaethyddiaeth. Mae ef yn un o naw prifardd sy' wedi ennill cadair Eisteddfod Genedlaethol yr Urdd yn ogystal â Chadair yr Eisteddfod Genedlaethol. Bu'n athro Saesneg am flynyddoedd yn Ysgol Gyfun Ddwyieithog Dyffryn Teifi, Llandysul, cyn newid gyrfa a throi i fyd cyhoeddi i fod yn olygydd llyfrau Saesneg Gwasg Gomer, Llandysul. Cyhoeddodd ei gyfrol gyntaf o farddoniaeth, *Dauwynebog*, yn 2007. 'Cyfrol lle down i adnabod bardd y cannoedd lliwiau llwyd yn hytrach na bardd y du a'r gwyn,' oedd sylw un beirniad llenyddol amdani. Ynddi y cyhoeddwyd y gyfres o englynion cyfarch i T. Llew Jones ar ei ben-blwydd yn 90 oed.

17.

'Wele, yr wyf yn sefyll wrth y drws . . .'

Meddyg ein dolur sy'n curo, – a llaw
Hwnt i'r llen sy' ganddo;
Ni all y drws ambell dro
Ddirnad pa ddwrn sydd arno.

Y Prifardd Llwyd, y Parchedig E. Llwyd Williams (1906-1960), Rhydaman, gweinidog gyda'r Bedyddwyr yno o 1938 hyd ei farwolaeth, ydi awdur yr englyn hwn. Ef ydi'r cyntaf o dri phrifardd gyda'r enw Llwyd i ennill y Goron genedlaethol: Alan Llwyd, 1973 a 1976, ac Iwan Llwyd, 1990. Enillodd E. Llwyd Williams ei Goron yn Eisteddfod Genedlaethol Ystradgynlais, 1954, blwyddyn yn union ar ôl ennill y Gadair yn y Genedlaethol, Y Rhyl, 1953. Mae Alan Llwyd a Robin Llwyd ab Owain a Gwenallt Llwyd Ifan hefyd wedi eu cadeirio yn y

Genedlaethol. Mae E. Llwyd Williams yn un o ugain o feirdd sy' wedi ennill y Gadair a'r Goron yn y Genedlaethol ers 1881. Mae un bardd ar ddeg wedi ennill y Goron gyntaf a'r Gadair wedyn. Mae chwe bardd wedi ennill y Gadair gyntaf a'r Goron ymhen blynyddoedd. Mae tri bardd wedi gwneud y dwbwl ddwywaith.

Ym 1957 cyhoeddodd y bardd-lenor o Rydwilym, Yr Efail Wen, ar y ffin rhwng Sir Benfro a Sir Gaerfyrddin, ei unig gyfrol o farddoniaeth *Tir Hela*. Ym 1936, cyhoeddodd, ar y cyd â'i gyfaill Waldo Williams, gyfrol yn dwyn yr enw *Cerddi'r Plant*. Ym 1958 cafodd rhan gyntaf *Crwydro Sir Benfro* dderbyniad gwresog iawn. Cyn cyhoeddi'r ail ran, Tachwedd 1960, roedd E. Llwyd Williams wedi marw ar Ionawr 17, 1960. Cyn ei farw yr oedd hefyd wedi gweithio cerddi newydd ar gyfer y gyfrol *Beirdd Penfro*, Gorffennaf 1961, a olygwyd gan W. Rhys Nicholas. Dwy ffaith arall sy'n brigo i'r wyneb wrth ei gofio ydi iddo ennill ar yr englyn, 'Carreg yr Aelwyd', yn Eisteddfod Genedlaethol Aberteifi, 1942. Ef hefyd ydi awdur y gân adnabyddus 'Pwy fydd yma 'mhen can mlynedd?'.

Mae paladr yr englyn hwn yn dwyn i gof lun enwog Holman. Mae'r gynghanedd Lusg yn talu am ei lle yn y llinell agoriadol gan ei bod yn cyfleu sŵn y curo dyfal ar y drws. Yn y paladr, y llaw sy'n curo ar y drws ond yn yr esgyll y dwrn sy' wrthi. Englyn cyferbyniol ydi hwn, y llaw gysurlon yn y paladr ond y dwrn bygythiol yn yr esgyll. Mae tinc o ddychryn ynddo gyda'i gytseiniad caled yn cyfleu bygythiad y dwrn.

Mor hawdd ydi sylweddoli, wrth ddarllen yr englyn hwn, mor sydyn y gellir cau'r llaw gymwynasgar yn ddwrn.

Y Gaeaf

Gwên a gormes, gwin a gwermod – yw'r oes
  Orau un ei chyfnod;
  Chwiliwch hi, haul a chawod,
  Munudau Duw'n mynd a dod.

Yr Athro John Lloyd-Jones, ysgolhaig a phrifardd, brodor o Ddol-wyddelan, Conwy, ydi awdur yr englyn hwn. Dyma'r englyn sy'n cloi cadwyn agoriadol ei awdl adnabyddus 'Y Gaeaf'. Wrth gofio'r englynwr cofiaf dri pheth amdano. Yn Eisteddfod Genedlaethol Rhyd-aman, 1922, enillodd y Gadair am ei awdl 'Y Gaeaf'. 'Cerdd delynegol goeth ei mynegiant a chywrain iawn ei hadeiladwaith,' oedd barn Thomas Parry amdani. Roedd 19 awdl yn y gystadleuaeth.

Rhwng Eisteddfod Genedlaethol 1910 ac Eisteddfod Genedlaethol 1976, gosodwyd y pedwar tymor yn destun yr awdl. Ym Mae Colwyn, 1910, yr Haf; Rhydaman, 1922, y Gaeaf; Hen Golwyn, 1941, yr Hydref, ac Aberteifi, 1976, y Gwanwyn. Yn y pedair eisteddfod cafwyd awdlau nodedig. Bu John Lloyd-Jones yn Athro yn y Brifysgol yn Nulyn am flynyddoedd gan ymddeol ym 1955; yno y daeth y Tad John Fitzgerald (1927-2007) dan ei ddylanwad. Dechreuodd y myfyriwr astudio'r Gymraeg ond cynghorodd yr Athro ef i astudio Groeg a Lladin. Dyna a wnaeth gan raddio yn y Clasuron ym 1946. Daliodd ati i ddarllen y Gymraeg drwy gael benthyg llyfrau gan yr Athro John Lloyd-Jones.

Y trydydd peth a gofiaf am yr Athro John Lloyd-Jones (1885-1956) yw ei fod yn un o dri beirniad cystadleuaeth y Goron yn Eisteddfod Genedlaethol Dinbych, 1939. Roedd Syr T. H. Parry-Williams hefyd yn beirniadu. 'Terfysgoedd Daear' oedd y testun, a derbyniwyd 19 pryddest. Bardd mawr y gystadleuaeth oedd Caradog Prichard, ond am nad oedd ei bryddest orchestol ar y testun fe ataliwyd y wobr! Yn ei erthygl 'Pan Fethodd y Beirniad', *Barddas*, Mehefin 1981, mae Gwilym R. Jones yn mynegi ei siom yn y ddau feirniad am beidio â choroni

Caradog Prichard (1904-1980). 'Myfyrdod un a syrffedodd ar fywyd – ar ei *derfysgoedd*, ddywedwn i – yw'r bryddest,' meddai. I gloi mae Gwilym R. yn gofyn: 'Erys y cwestiwn perthnasol . . . *paham na chyhoeddwyd beirniadaeth y trydydd beirniad (E. Prosser Rhys) yng nghyfrol y 'Cyfansoddiadau a'r Beirniadaethau 1939'*? Dyfalaf y carai ef goroni Caradog'.

Mae'r englyn hwn yn fy nisgyblu i beidio â gwangalonni pan fydd pwysau'r byd ambell ddiwrnod yn drymach nag arfer. 'Dydi rhywun ddim yn treulio ei holl ddyddiau ym mhwll y gaeaf. Ar ôl y gaeaf du y daw'r gwanwyn yn bendant. Ni fethodd y gwanwyn erioed. Mae esgyll englyn W. Leslie Richards, Llandeilo, yn cyfoethogi'r hyn sy' gan yr englyn hwn i'w ddweud:

> Nid haf a gaeaf i gyd
> Ond gaeaf a haf hefyd.

Daw'r cwpled hwn o'i englyn 'Bywyd', cwpled sy'n dangos fod y brodor o Gapel Isaac, ger Llandeilo, yn englynwr medrus ac yn epigramwr grymus.

19.

Corwynt

> Nid grymoedd croeswyntoedd sydd – yn taro
> Ymysg tyrau'r ceyrydd
> A gyrru drwy'r magwyrydd:
> Eu dymchwel wna'r awel rydd.

Dr Peredur Lynch, Athro yn yr Ysgol Gymraeg, y Brifysgol ym Mangor, ac un o gyd-olygyddion *Gwyddionadur Cymru*, 2008, ydi awdur yr englyn hwn. Dyma fardd a ddaeth i amlygrwydd cenedlaethol pan oedd yn ddisgybl hŷn yn Ysgol Y Berwyn, Y Bala; disgybl chweched dosbarth a elwodd yn fawr iawn o seiadau barddol yn Awen Meir-ion, Siop Gymraeg y dre'. Enillodd gadair Eisteddfod Genedlaethol yr Urdd, Maesteg, 1979, a chadair Eisteddfod Môn, Llannerch-y-medd, 1980, a chadeiriau eraill. Mawr oedd y disgwyl iddo ennill y Gadair Genedlaethol yn ystod y cyfnod pan oedd yn fyfyriwr ym Mangor. Bu'n aelod o Dîm Ymryson y Beirdd Gweddill Cymru yn y Genedlaethol am flynyddoedd, tîm sydd wedi gweithio nifer fawr o englynion cofiadwy dros y blynyddoedd.

Englyn crefftus dros ben ydi hwn. Mae mwy na disgrifiad o'r corwynt ynddo. Mae'n datgan nad yr ymffrostfawr a'r 'gwrandewch arnaf fi' sy'n newid pethau yn hyn o fyd. Y rhai sydd yn gweithio'n ddyfal y tu ôl i'r llenni a'r unigolyn sy'n driw i'w egwyddorion ydi'r awel rydd sy'n newid pethau yn y pen draw. Mae'r englyn hwn yn dwyn i gof waith diflino Gwynfor Evans.

Mae'r tair llinell gyntaf yn gronicl o hyrddiadau'r corwynt a'r llinell olaf wedi dal cryfder yr awel rydd. Defnyddir cytseiniaid caled yn y llinell gynta' i fynegi sŵn y corwynt mewn cynghanedd Sain gref; cynghanedd Sain dawelach yn y llinell olaf i fynegi'r awel.

Brodor o Garrog yn yr hen Sir Feirionnydd ydi'r awdur, a dechreu-odd gynganeddu pan oedd yn bedair ar ddeg oed dan gyfarwyddyd Griffith Jones, Bryn Eglwys, Corwen. O fewn ychydig amser dat-blygodd yn gynganeddwr peryglus ac yn englynwr pybyr. Dywedodd ef yn y gyfrol *Ynglŷn â Chrefft Englyna* a olygwyd gan T. Arfon Williams (1981):

> Nid oes angen bardd i wneud englyn cywir; fel y dywedais mater o amynedd ydyw, ac ar ben hynny mater o ymarfer . . . mae angen rhyw nerth neu bŵer i drawsnewid yr englyn peiriannol yn farddoniaeth, newid y talp o oerni yn rhywbeth byw, hardd. 'Awen' sydd ei eisiau . . . Ar ôl cyrraedd y stad yma sylweddolir bod englyn yn rhywbeth anhraethol fwy na mater o sodro geiriau mewn rhyw drefn arbennig.

Roedd yr englynwr o Garrog wedi ei deall hi yn ieuanc iawn.

Dyhead

Na ro faich, canys rwyf fychan, – na rhiw,
Canys rwyf mor egwan,
Ond rho i'm henaid truan
Awr o nerth, canys rwy'n wan.

Gweddi o englyn ydi hwn gan y Parchedig Brifardd John Gwilym
Jones, Peniel, Caerfyrddin. Ef ydi'r ail brifardd i fod yn Weinidog
Capel Pendref (A) Bangor. Y cyntaf oedd y Parchedig John Ellis
Williams, enillydd Cadair Eisteddfod Genedlaethol Aberystwyth ym
1916 am ei awdl 'Ystrad Fflur'. Daeth Hedd Wyn yn ail iddo. Trigain
a phump o flynyddoedd yn ddiweddarach, cadeiriwyd John Gwilym
Jones yn Eisteddfod Genedlaethol Machynlleth ym 1981 am ei awdl
'Y Frwydr'. Awdl yn codi o'i brofiad fel Caplan mewn ysbyty ym
Mangor oedd hon. Flynyddoedd ynghynt yr oedd wedi ennill cadair
Eisteddfod Genedlaethol yr Urdd, Aberdâr, 1960. Enillodd gadair
Gŵyl Fawr Aberteifi am awdl foliant i 'Afon Teifi', afon bro ei febyd
yng Nhastellnewydd Emlyn. Ym 1973 cyhoeddwyd llyfryn o'i gerddi,
Dyfed, yng nghyfres Beirdd y Triskel, Christopher Davies, Abertawe.
Dechreuodd ei yrfa fel gweinidog gyda'r Annibynwyr yn Y Tymbl,
Llanelli, cyn derbyn galwad i Bendref, Bangor, lle bu'n gweinidog-
aethu am ddeugain mlynedd cyn ymddeol yn 2007. Yn eisteddfodwr
greddfol, bu'n Archdderwydd Cymru o 1993 hyd 1995, a chafodd y
fraint yn ei Eisteddfod olaf fel Archdderwydd, Bro Colwyn, 1995, o
goroni ei frawd bach Aled Gwyn, Caerdydd, a chadeirio ei ail fab,
Tudur Dylan. Ers 2006 ef ydi Cofiadur Gorsedd y Beirdd. Un o
raglenni gorau S4C yn ystod Nadolig 2007 oedd *Bois Parc Nest*, sef
portread o'r tri brawd, T. James Jones, John Gwilym Jones ac Aled
Gwyn, tri phrifardd a godwyd ar aelwyd ddiwylliedig fferm Parc
Nest, Castellnewydd Emlyn.
Englyn cadarn ei symlrwydd yn codi o brofiad ydi hwn; englyn yn
dyheu am hyder i wynebu gofynion bywyd sydd ar brydiau yn pwyso

ar ysgwyddau rhywun; englyn y gellir ei adrodd yn dawel yn ddyddiol wrth ailosod yr iau yn esmwyth ar yr ysgwyddau.

Bob Nadolig, un o'r englynion cyntaf y byddaf yn ei ddarllen ydi 'Nadolig Ers Talwm' gan yr englynwr hwn:

> Yr un dydd a fu'n hir yn dod, – y llofft
> Yn llwyth o ddarganfod;
> Unnos undydd o syndod,
> Y tŷ'n bert a Santa'n bod.

21.

Y Babell Lên

> Diwylliant pob ystyllen – ohoni,
> Camp llenor pob hoelen;
> Rhan o'i haearn yw awen
> A phŵer iaith yw ei phren.

Y Prifardd Emrys Roberts, Emrys Deudraeth, ydi awdur yr englyn mawl hwn. Bu ef yn Archdderwydd Cymru o 1987 tan 1989. Ganwyd Prifardd Eisteddfodau Cenedlaethol 1967 a 1971 yn Lerpwl ym 1929, sef y flwyddyn y cynhaliwyd y Genedlaethol yn y ddinas. Bardd y Gadair ym 1929 oedd Dewi Emrys (1881-1952), bardd yr oedd Monallt, tad Emrys Roberts, yn cael blas ar ei waith. Am flynyddoedd yng nghanol y ganrif ddiwethaf bu Emrys Roberts yn fardd eisteddfodol llwyddiannus gan ennill cadair Eisteddfod Môn, Powys a Phontrhyd-fendigaid. Sbardunodd hyn ef i ddatblygu fel bardd a chyhoeddodd nifer o gyfrolau o farddoniaeth sy'n dangos mor eang ydi ei ddiwylliant. Fel athro ysgolion cynradd a phrifathro, gwelodd fod angen adeiladu ar y sylfaen yr oedd ei arwr, y Prifardd T. Llew Jones, wedi ei gosod ym myd llenyddiaeth plant, a bwriodd i'r gwaith o ddarparu llyfrau barddoniaeth a straeon gwreiddiol i blant. Yn y Genedlaethol ym Meifod, 2003, cynhaliodd Barddas gyfarfod teyrnged iddo.

Yr englyn mawl i'r Babell Lên ydi un o'm hoff englynion gan Emrys Roberts. Fe aeth yr 'O' drwy'r Babell Lên yn Eisteddfod Genedlaethol Wrecsam, 1977, pan glywyd ei englyn ymryson i wraig Martin Luther King. Pan glywaf am farwolaeth cyfaill, ffrind neu gydnabod, byddaf yn troi at gyfrolau Emrys i ddarllen ei englynion coffa i gael trefn ar fy meddwl. Y Babell Lên ydi calon Maes y Genedlaethol. Fe'i sefydlwyd hi yn Eisteddfod Genedlaethol Y Barri, 1920. Yn Eisteddfod Genedlaethol Caerffili, 1950, fe'i cynhaliwyd mewn ystafell ddosbarth yn Ysgol Ramadeg y Merched a oedd ar y terfyn â Maes yr Eisteddfod ger y castell enwog. Yn Eisteddfod Genedlaethol Abertawe, 1982, fe'i cynhaliwyd mewn darlithfa ar gampws y Brifysgol. Ymhen un mlynedd ar ddeg yn ddiweddarach yn Llanelwedd, De Powys, fe'i cynhaliwyd yn un o adeiladau parhaol y Sioe Frenhinol.

Ym 1983 y daeth oes yr hen Babell Lên i ben, 'y cwt ieir' o adeilad chwedl eisteddfodwyr hiraethus. Bu bron iddi fynd yn rhyfel cartref yng Nghymru pan benderfynwyd nad oedd defnydd iddi mwyach. Y Babell Lên honno y mae Emrys yn ei moli yn ei englyn, pabell y bu'n rhaid cael gwared ohoni yn ôl deddf Diogelwch ac Iechyd. Wrth gofio amdani, roedd yr adeilad yn lle peryglus ac yn gollwng fel gogor ar ddiwrnod gwlyb. Ond yr hyn a gafwyd ynddi y mae'r Prifardd yn ei gofio, sef pair y Pethe. Wrth ddarllen yr englyn mae'r darllenydd yn gallu gweld y Babell yn cael ei chodi ar y maes ac mae'r hyn a gafwyd ynddi wedi cael ei drosglwyddo i'r Babell Lên bresennol. Oni chlywyd yr 'O' yn mynd drwyddi yn Yr Wyddgrug, Awst 2007, pan glywyd englyn yn cynnwys y llinell 'Un waith yn ein pabell ni' gan y Prifardd Emyr Lewis:

1917

Teilyngdod a neb yn codi, – wedyn
a'r gadair yn drewi
o waed, a mwg bwledi
un waith yn ein pabell ni.

Cyfarchiad Tad i Fam ar Awr Geni

Bu hir y disgwyl, f'anwylyd. Yn drwm
  Ar dy draed, ond gwynfyd
Yw cael o'r oriau celyd
Wyrth o beth sy'n werth y byd.

Yn yr englyn hwn, mae J. Eirian Davies (1918-1995) yn mynegi teimladau pob gwir dad yn ystod un o brofiadau mwyaf bywyd. Mae'r profiad yn fythol newydd o ddyddiau'r enedigaeth gyntaf hyd heddiw. Mae'r englyn yn awgrymu gwefr y disgwyl, bryntwch yr enedigaeth a chael y baban yn y breichiau mamol. Mae'r llinell glo yn disgrifio i'r dim eiliadau tyngedfennol yr enedigaeth, dihareb o linell. Ynddi mynegwyd ffaith yn gelfydd a dylai'r llinell fod ar gof gwlad.

Un o eisteddfodwyr amlycaf ail hanner y ganrif ddiwethaf oedd J. Eirian Davies, gweinidog yr Efengyl a bardd. Brodor o Nantgar-edig, Sir Gaerfyrddin, ydoedd, a mawr fu ei ddylanwad ymhob ardal y bu'n gweinidogaethu ynddi: Hirwaun, Blaenau'r Cymoedd, Bryn-aman, Sir Gaerfyrddin a'r Wyddgrug, Sir Y Fflint. Tra oedd yn yr Hirwaun, bu'n rhan o nythaid o feirdd Bro Aberdâr, y Prifardd Tilsli a'r Parchedig D. Jacob Davies yn eu mysg. Bu'n aelod o Dîm Ymryson y Beirdd yr hen Sir Forgannwg, a phan symudodd i'r Wyddgrug, cryfhaodd Dîm Sir Y Fflint. O 1978 hyd 1982 bu'n is-olygydd *Y Faner*, a chyda'r golygydd bywiog, Jennie Eirian ei wraig, torrodd gŵys newydd yn hanes yr wythnosolyn. Bu'n cadw llygad ar y Golofn Farddol yn *Y Faner*, gan ddatblygu'r syniad o gyhoeddi dwy gerdd bob wythnos, un gan fardd cydnabyddedig a'r llall gan fardd ar ei dyfiant. Bu'n beirniadu droeon yn y Genedlaethol. Bu hir drafod ar ei feirniad-aeth ar yr englyn yn Eisteddfod Genedlaethol 1967. Testun y gystad-leuaeth oedd 'Draenen'. Fe ataliodd y wobr er bod nifer o englynwyr cydnabyddedig y cyfnod wedi cystadlu. Ni feirniadodd gystadleuaeth yr englyn wedyn tan Eisteddfod Genedlaethol Cwm Rhymni, 1990.

Enillodd ar y soned 'Morfa Rhuddlan' yn Eisteddfod Genedlaethol Y Rhyl, 1953. Roedd y beirniad wedi hoffi 'ei arloesi mewn ffurf, ei broestio a'i estyn ar y llinellau' a'i 'eirfa rymus, realaidd'.

Y syndod mwyaf i'w gydoeswyr oedd y ffaith nad enillodd y Goron neu'r Gadair Genedlaethol. Credai llawer ohonynt mai ef fyddai'r cyntaf i ddilyn yn ôl troed Syr T. H. Parry-Williams, a gyflawnodd y gamp ym 1912 a 1915. Credwyd hyn oherwydd yr oedd Eirian Davies yn un o feirdd mwyaf mentrus a medrus ei gyfnod. Cyhoeddodd bum cyfrol o farddoniaeth: *Awen y Wawr* (1947), *Cân Galed* (1974), *Cyfrol o Gerddi* (1985), *Darnau Difyr* (1989) ac *Awen yr Hwyr* (1991). Yn ei gyfrolau i gyd ceir ias, grym a medrusrwydd llwyr. Mae ei englyn Nadolig 'Geni'r Baban' yn brawf o hyn:

> Mireinder o gôl morwyndod, – y Gair
> Yn y gwellt i'w ganfod;
> Duw, un dydd, i'n byd yn dod
> Heb i neb Ei adnabod.

23.

Yr Awen

> Trwy ryw gywair tragywydd – rhoddai hon
> Farddoniaeth i'r Salmydd;
> Nawr i ni daw o'r newydd
> Fel cyffyrddiad toriad dydd.

Awdur yr englyn hwn ydi'r Prifardd Einion Evans, a enillodd Gadair Eisteddfod Genedlaethol Ynys Môn, Llangefni, 1983, am ei awdl ddirdynnol 'Yr Ynys', awdl goffa i'w ferch, ei unig blentyn Ennis Evans (1953-1982). Fel yr eglurodd Idris Reynolds yn y cyfarfod teyrnged i Einion Evans yn Eisteddfod Genedlaethol Sir Y Fflint, Yr

Wyddgrug, 2007, rhaid rhestru ei gywydd coffa i Ennis Evans, a enillodd gystadleuaeth y cywydd yn Llangefni, gyda'r cerddi coffa mawr. O'n cyfnod ni, rhaid ei osod ochr yn ochr â cherdd goffa Dic Jones i'w ferch Esyllt.

Yn ei ddydd, bu Einion Evans yn löwr, yn bêl-droediwr ac yn llyfrgellydd, ac mae'n awdur pedair cyfrol o farddoniaeth. Cyhoeddodd ei hunangofiant, *Tri-Chwarter Coliar*, ym 1991. Rhwng 1980 a 1991 bu'n tynnu blewyn o drwyn Cymry amlwg a sefydliadau yn ei golofn 'Ar yr Einion' yn y cylchgrawn *Barddas*. Mor wir ydi ei englyn am 'Y Cae Ras, Wrecsam, Ionawr 1983':

> Oer gurlaw ddaw ar garlam, – du yw hi
> Lle bu'r dorf yn wenfflam;
> O'i phlwy fe giliodd y fflam,
> Mae hi'n racs yma'n Wrecsam.

Meistres galed yw'r awen, ond yn ôl rhai englynwyr a rhai pobl eraill, 'does y ffasiwn beth yn bod. Enw rhamantaidd am y gwaith real o weithio cerdd neu englyn ydi 'awen'. Fe blannwyd rhyw gynhyrfiad i greu yn isymwybod dyn o'r cychwyn. Fe sbardunir hwnnw gan air, syniad neu brofiad a fydd yn pwyso ar fardd i gael trefn ar ei fyfyrdodau. Pan edrychodd awdur yr wythfed Salm ar yr awyr, fe'i hysbrydolwyd i gael trefn ar ei feddyliau a hyd heddiw ym mhedwar ban y byd mae dyn yn dal i gael ei gyffwrdd. Ystrydeb yw dweud nad oes dim yn newydd ar wyneb daear. Y syndod ydi bod dyn yn cael rhyw gip o'r newydd ar bethau ac o'r herwydd yn mynegi ei brofiadau.

Mae'n well gen i ddefnyddio ysbrydoliaeth. Mae'r gair yn dwyn i go' y stori am Waldo Williams a glywais gan T. Llew Jones. Roedd Waldo wedi sylwi yn ifanc iawn ei fod yn cael ei feddiannu'n ysbeidiol gan fŵd neu gyflwr. Yr oedd ef yn llunio cerddi bach syml pan oedd yn blentyn ac unwaith fe ofynnodd i'w fam:

> "Sut mae'n bod 'mod i'n gallu sgrifennu cân un diwrnod a thrannoeth yn methu sgrifennu dim?"

"Dyna beth yw ysbrydoliaeth," meddai ei fam.
"Beth yw hwnnw?" gofynnodd Waldo.
"Duw yn helpu'r bardd," atebodd, yn drawiadol iawn.

Yma yng Nghymru, mae'r gynghanedd gennym i roi sglein ar ein cofnodi mewn englynion cofiadwy. Cyn sicred ag y bydd y wawr yn torri, bydd gair yn galw ar air rywle yng Nghymru, a bydd yr englyn-wyr, mewn deg sill ar hugain, yn cael trefn ar eu myfyrdodau.

Yn *Barddas*, Chwefror 1988, wrth adolygu *Cerddi'r Ynys*, trydedd gyfrol o farddoniaeth Einion Evans, dywedodd y Prifardd Dafydd Owen: 'Deubeth a nodwedda Einion i mi fel bardd, sef ei ddychan a'i ddarlun. Nid amheuodd neb erioed ei ddawn fel cynganeddwr, ac fe'i cafwyd amlaf ar ffurf y direidi crafog a'r dywediad cofiadwy'.

24.

Er Cof am Ceinwen ac Eirwen

Wedi'r hoen dibryder ennyd, – a'r hynt
   Lle dôi'r hwyl a'r gwynfyd,
Tro mawr fu troi am weryd
Ym mawr boen, tro mwya'r byd.

Gwilym Roberts (1902-1964), Y Bala, ydi awdur yr englyn coffa dirdynnol hwn sydd ar garreg fedd ei blant ym mynwent Llanycil ger y dre', mynwent fel mynwent Capel y Wig, Blaencelyn ger Llan-grannog, Ceredigion, lle y mae englynion a chwpledi cofiadwy gan feirdd lleol ar y cerrig beddau. Cofio am ei ddwy ferch ieuanc y mae'r englynwr. Bu farw'r ddwy yn ieuanc, Ceinwen ar Chwefror 10, 1946, yn 13 mlwydd oed, ac yna ymhen amser, ei ail ferch Eirwen, ar Ebrill 10, 1953, yn 7 oed. Profiad ysgytwol o ddagreuol oedd claddu'r gyntaf a'r hiraeth yn annioddefol wrth fynd o'r cartref draw i Lanycil, taith na fu ei thebyg ac na fydd ei thebyg. Mae claddu plentyn yn brofiad sy'n taflu cymdeithas oddi ar ei hechel am gyfnod. Ie, troi am y fynwent i gladdu plentyn ydi'r tro mwya'n bod, ond meddyliwch am ei wneud yr eildro ymhen ychydig flynyddoedd i gladdu plentyn arall!

Mae mesur yr englyn yn addas iawn i fynegi'r profiad chwerw o golli rhywun sy'n annwyl. Mae'n fesur byr disgybledig ac ni ellir afradloni geiriau wrth osod trefn ar y meddyliau a gyfyd yn sgil y profiad o wynebu marwolaeth yn y teulu.

Cafwyd ysgrif ddifyr, 'Gwilym, fel hyn y'i gwelais', gan gydweithiwr iddo yn Hufenfa Meirion, Ian James, yn *Barddas* Mai/Mehefin 1999: 'Yn ogystal â bod yn fardd, roedd Gwilym yn ganwr o fri, yn bysgotwr hefyd'.

Cyhoeddwyd peth o waith Gwilym Roberts yn *Blodeugerdd Penllyn* (Golygydd: Elwyn Edwards) ac yn *Drych Penllyn* (Golygydd: Awel Jones).

25.

Blwyddyn Newydd

Ar ben-blwydd yr hen flwyddyn, – o Galan
   I Galan o'r cychwyn
   Y mae hanes yn mynnu
   Newid dêt heb newid dyn.

Un o brifeirdd gwaelod yr hen Sir Aberteifi, ardal De Ceredigion, ydi Idris Reynolds, awdur yr englyn hwn. O fewn tafliad carreg i'w gilydd roedd chwe phrifardd yn byw hyd yn gymharol ddiweddar: T. Llew Jones (1958 a 1959), Dic Jones (1966), Eluned Phillips (1967 a 1983), Donald Evans (1977 a 1980), Idris Reynolds (1989 a 1992) a Ceri Wyn Jones (1997). Un o fechgyn Banc Siôn Cwilt ydi Idris Reynolds, a bu'n llyfrgellydd Coleg Prifysgol Cymru, Llanbedr Pont Steffan, cyn iddo ymddeol. Fe'i magwyd yn sŵn y Pethe ar aelwyd ddiwylliedig. Fe gyfrannodd aelodau'r teulu yn fawr at ddiwylliant ein cenedl drwy fawrygu pethau gorau eu bro. Roedd ei fam, Mrs Elizabeth Reynolds (1908-1986), yn adnabyddus fel un a groniclodd ddiwylliant Banc Siôn Cwilt, fel ei chwaer Miss Mary Jones, Pennant. Canodd y Prifardd Donald Evans englyn i Mrs Reynolds:

Awdur i'w hardal ydoedd, – awdurdod
Ardal ar ei gwerthoedd;
Un fu'n dal ei hardal oedd
A'i dolen ag ardaloedd.

Ym 1986, cyhoeddodd Idris Reynolds gyfrol fechan, *Y Border Bach*, casgliad o gerddi ei fam.

Roedd eu brawd, John Lloyd Jones, Llwyndafydd, yn englynwr cydnabyddedig. Cyhoeddodd ef gyfrol o farddoniaeth, *Grawn y Grynnau*, ym 1984. Anodd tynnu dyn oddi ar ei dylwyth. Ar ôl bod yn eistedd wrth draed Dr Roy Stephens, Aberystwyth, yn ei ddosbarth cynganeddu yng ngwesty'r Emlyn, Tan y Groes, Aberteifi, taniwyd y bardd yn Idris Reynolds. Ym 1989 cadeiriwyd ef yn Brifardd Eisteddfod Genedlaethol Dyffryn Conwy am ei awdl 'Y Daith', ac ymhen tair blynedd fe'i cadeiriwyd eilwaith yn Eisteddfod Genedlaethol Aberystwyth am ei awdl 'A Fo Ben . . .' Cyhoeddodd ddwy gyfrol o farddoniaeth, *Ar Lan y Môr* (1994), a deng mlynedd yn ddiweddarach, *Draw Dros y Don*; hefyd golygodd *Y Grefft o Dan y Groes* (2005). Mae'n cynnal dosbarthiadau cynganeddu a barddoniaeth yn Nhan y Groes ac yn Llanbedr Pont Steffan. Esgyll gafaelgar sy' i'r englyn hwn a luniwyd ar drothwy'r mileniwm; esgyll sy'n taro gyda'i wirionedd. Funud wedi hanner nos ar ddechrau pob blwyddyn newydd, a chalendr newydd sbon wedi ei osod yn ei le, yr un yw ofnau dyn, yr un yw ei ddyheadau, yr un yw ei ddiawlineb a'r un yw ei ymchwil am y Dwyfol. Mae'r esgyll yn ddihareb.

Weithiau

Rwy' weithiau er pob dadrithiad rywfodd
   Yn profi cyffyrddiad
Rhywun yn siglo'r cread
   Yn fwyn iawn, fel llaw fy nhad.

Englynwr yn llinach Syr T. H. Parry-Williams (1887-1975), bardd
ac ysgolhaig, ydi awdur yr englyn hwn. Ganwyd Emyr Lewis yn
Llundain ond symudodd ei deulu i Gaerdydd i fyw. Addysgwyd ef yn
Ysgol Gynradd Bryntaf ac Ysgol Gyfun Rhydfelen. Pan oedd yn
ddisgybl yno daeth i gysylltiad â Dr Alun Ogwen, Caerdydd, a oedd
yn aelod o gylch Cynganeddu Yr Eglwysnewydd a eisteddai wrth
draed T. Arfon Williams, ac ef a'i cyflwynodd i'r cylch. Yn Ymryson
Eisteddfod Genedlaethol Ynys Môn, 1999, gweithiodd Emyr englyn
yn cynnwys y geiriau 'wedi mynd':

Mae'n dyrfau am fod Arfon – wedi mynd.
   Ond mae o'n ein calon
Yma. Mi wn a bydd Môn
   Eleni'n llawn englynion.

Taniwyd diddordeb Emyr yn y gynghanedd a barddoniaeth a dat-
blygodd yn gyflym i fod yn fardd o bwys. Yn Eisteddfod Genedlaethol
Cwm-nedd 1994, ar ôl bod yn agos iawn flwyddyn ynghynt yn Llan-
elwedd, De Powys, fe'i cadeiriwyd am ei awdl 'Chwyldro', cyfraniad
pwysig i'n barddoniaeth am y cymoedd. Yn Eisteddfod Genedlaethol,
1998, ym Mhen-y-bont ar Ogwr, fe'i coronwyd am ei gasgliad o
gerddi 'Rhyddid', cerddi sy'n portreadu bywyd yn y brifddinas ac yn
dangos i'r byd a'r betws fod Cymru benbaladr yn faes llafur i fardd.
Mae wedi cyhoeddi dwy gyfrol o farddoniaeth, *Chwarae Mig* (1995) ac
Amser Amherffaith/Dysgu Deud Celwydd yn Tsiec (2004): 'Dwy gyfrol yn
un sy'n cyfleu dwy arddull y bardd dawnus, amrywiol ei awen'.

Y llinell o emyn Ieuan Glan Geirionydd (1795-1855), 167 *Caneuon Ffydd*, a ddaeth i'm meddwl yn syth wrth ddarllen yr englyn hwn, 'Fy Nhad sydd wrth y llyw', ac yna'n syth yr amheuaeth, tybed? Thema 'Gair y Dydd' am y diwrnod y sgwennais fy ngwerthfawrogiad o'r englyn hwn oedd 'Da yw yr Arglwydd', yn seiliedig ar Salm 34. Ynddi mae'r adnod: 'Dyma un isel a waeddodd a'r Arglwydd yn ei glywed ac yn ei waredu . . .' Mae teitl yr englyn yn taro deuddeg â'r profiad a fynegir. Hen, hen o newydd yw profiadau dyn ar wyneb y ddaear. Yr un dadrithiad byth a beunydd a'r un hen benbleth sy'n cnoi dyn o ddyddiau'r Salmydd hyd heddiw. Ond weithiau daw profiad i dawelu'r meddwl dros dro.

27.

Goronwy Owen

Trwy benyd y trybini – ti gipiaist
   Gwpan chwerwaf tlodi:
Cenaist yng nghanol cyni
A gweld Duw'n ei gwaelod hi.

Ym 1914 y ganwyd awdur yr englyn hwn, James Arnold Jones, unig fab y Parchedig James a Margaret Jones. Gweinidog gyda'r Anni-bynwyr oedd ei dad a oedd wedi symud i Fethesda, Gwynedd, o Senghenydd, Caerffili, bedair blynedd ynghynt. Ymhen deng mlyn-edd, symudodd y teulu i'r Bermo ac yno y bu'r Parchedig James Jones, a oedd yn fardd eisteddfodol cydwybodol, yn byw tan ei farwolaeth ym mis Mawrth 1965. Athro ysgol uwchradd fu James Arnold Jones ar hyd ei oes waith. Bu'n dysgu yn Lloegr, yn ardal y Gororau, cyn dych-welyd i Gymru. Bu'n dysgu yn Ysgol Syr Thomas Jones, Amlwch, Ynys Môn, ac yno yr oedd pan enillodd dlws cadair Eisteddfod Môn, Llangefni, 1955. Erbyn cyhoeddi *Awen Arfon* yng nghyfres Barddoniaeth y Siroedd ym 1962, yr oedd yn athro yn Ysgol Eifionydd, Porth-madog. Oddi yno symudodd i fod yn athro uchel ei barch yn Ysgol Glan Clwyd ym mis Medi 1962. Bu yno hyd ei ymddeoliad ym 1977. Ymgartrefodd yn Y Rhyl a bu'n byw yno hyd at dair blynedd olaf ei fywyd. Bu farw ar Fedi 21, 2005, yn Bedford, Lloegr. Bu'n gystadleu-ydd ffyddlon iawn yn Eisteddfod Môn ar hyd y blynyddoedd. Enillodd goron Eisteddfod Môn, Y Fali, ym 1936, a phan ddychwelodd yr Eis-teddfod yno ym 1968. roedd ei enw yn amlwg ymhlith yr enillwyr. Enillodd ei wobr olaf yn Eisteddfod Môn ym 1979. Cyhoeddodd ei waith yn *Awen Arfon, Yr Un Mor Wen* (1992), cyfrol i ddathlu hanner canmlwyddiant Clwb y Garreg Wen, Porthmadog, a *Blodeugerdd y Glannau* (1989). 'Dawn fawr iawn ganddo fel bardd. Pencampwr ar y cynganeddion, a'i dad o'i flaen . . . yn fardd solet. Gan Arnold y gwelais y casgliad mwyaf erioed o goronau eisteddfodol, ac nid yw'n brin o gadeiriau chwaith. Mae wedi ennill cadair a choron Môn lawer o weithiau,' meddai golygydd y flodeugerdd, y Prifardd Einion Evans, amdano.

Testun cystadleuaeth y gadair yn Eisteddfod Môn, Bro Goronwy, 1969, oedd 'Awdl Foliant i Oronwy Owen'. Enillydd y gadair allan o chwe awdl oedd James Arnold, a chanmolwyd yr englyn hwn gan Gwilym R. Jones, un o'r beirniaid. Goronwy Owen (1723-1769), un o 'wŷr mawr Môn' a fu farw yn ŵr tra chyfoethog yn America, ydi gwrthrych yr englyn. Ef yw un o wŷr mwyaf cymhleth ein llenydd-iaeth, gŵr galluog a sathrai gyrn ymhob ardal y bu'n byw ynddi, wedi iddo adael Llanfair Mathafarn Eithaf ei febyd. Yn ardal Amwythig, yn Lerpwl ac yn Llundain, cynhyrfai'r dyfroedd. Ni bu heb ei drafferthion yn America. Mae'r englyn yn cyffwrdd â helyntion Goronwy, gŵr a gariodd ansicrwydd tlodi ei blentyndod gydag ef holl ddyddiau ei fywyd. A gafodd ef loches yn ei gerddi ac yn ei waith fel offeiriad tra oedd yn byw yng ngwledydd Prydain?

Rhyfel

Bydd dial o'r anialwch – yfory
Nes adferir tegwch
I atal llid plant y llwch,
Ni all lladd ennill heddwch.

Awdur yr englyn hwn ydi'r Prifardd Dic Jones, yr Hendre, Blaen-
annerch, Aberteifi, yr Archdderwydd Dic yr Hendre, yr amaethwr
cyntaf i weinyddu Gorsedd y Beirdd a'r ail amaethwr i ennill y Gadair
Genedlaethol ers diwedd yr Ail Ryfel Byd. Enillodd ef ei Gadair
Genedlaethol ym 1966 am ei awdl bellgyrhaeddol ei dylanwad, 'Y
Cynhaeaf'. Meddai Thomas Parry, un o'r tri beirniad yn Aberafan:
'Y mae'r awdl hon yn farddoniaeth loyw drwyddi, yn ddisglair galed
ac yn afieithus mewn mannau, ac yn dyner a gwylaidd mewn mannau
eraill, lle mae'r bardd yn ymdeimlo â'i dras. A thrwy'r cyfan y mae
enaid a dawn y gwir fardd yn pefrio'.

Enillodd ei Gadair un mlynedd ar hugain ar ôl i Tom Parri Jones, Tŷ
Pigyn, Malltraeth, Ynys Môn, ennill tlws y Gadair yn Rhosllannerch-
rugog, 1945. Daeth Dic Jones i sylw'r genedl lengar rhwng 1954 a 1959
gan iddo ennill y gadair yn Eisteddfod Genedlaethol yr Urdd bum
gwaith. Sylw W. D. Williams, Y Bermo, wrth feirniadu'r gystadleu-
aeth yng Nghaernarfon, 1956, oedd: 'Dyma gynganeddwr aeddfed a
bardd synhwyrus. Y mae ganddo rai englynion cofiadwy . . .'

Hanner canrif yn ddiweddarach, mae beirniadaeth W. D. Williams
yn dal i sefyll, a thrwy gydol y cyfnod hwn mae Dic Jones wedi
gweithio nifer fawr iawn o englynion cofiadwy. Mae cynganeddu ac
englyna yn ail natur iddo fel y dengys yr englyn hwn. Tra oedd Dic
Jones yn cadw ei golofn yn y cylchgrawn wythnosol *Golwg*, ef oedd ein
Bardd Cenedlaethol answyddogol. Rhyfel Irác ydi cefndir yr englyn
gafaelgar hwn, y rhyfel diangen; y rhyfel celwyddog. Wrth adolygu
drama George Bernard Shaw, *Major Barbara* (1905), a lwyfannwyd yn

Theatr Genedlaethol Lloegr ym mis Mawrth 2008, dywedodd y beirn-
iad Charles Spencer: 'Dyma ddrama sydd yn gofyn cwestiynau
pwysig. A oes y fath beth â rhyfel cyfiawn, ai defnyddio bwledi a
bomiau ydi'r ffordd i ennill diogelwch a heddwch? Wrth wrando ar y
ddrama ni allwn lai na meddwl am yr hyn sy'n digwydd yn Irác ac
Affganistan ac am y syniad o ryfel yn erbyn terfysgaeth'.

Ar ddechrau'r ganrif ddiwethaf dramodydd o Loegr a oedd yn codi
cwestiynau, a chanrif yn ddiweddarach, englynwr o Gymru yn dangos
nad ydym wedi dysgu dim.

29.

Ann Griffiths

Deilen o wanwyn Dolwar – yn hydref
Ei haeddfedrwydd cynnar
Yn rhoi o irder ei ha'
'Run Duw i buro'n daear.

Dewisais yr englyn hwn am ddau reswm. Yn gyntaf, am ei fod yn
cyflwyno'r emynyddes Ann Griffiths (1776-1805) o Ddolwar Fach,
Llanfihangel-yng-Ngwynfa, Llanfyllin, Powys; yn ail, mae'n dangos
yn glir fod mwy na thant yr ymrysonwr i ganu Gwilym Fychan,
Abercegir, Machynlleth. Ganwyd ef ym 1945. Fe'i haddysgwyd
yn Ysgol Darowen ac Ysgol Uwchradd Machynlleth. Ffermwr a
Chynghorydd amlwg ar Gyngor Sir Powys. Dechreuodd farddoni a
chynganeddu ar ddechrau saithdegau'r ganrif ddiwethaf.

Ers hynny bu'n aelod cyson o dimau Ymryson y Beirdd yn yr
Eisteddfod Genedlaethol. Mae'n aelod o Dîm Talwrn y Beirdd Bro
Ddyfi o'i sefydlu. Gellir rhannu hanes yr Ymryson yn yr Eisteddfod
Genedlaethol yn dair rhan: y rhan gyntaf o 1951 hyd 1976, o Lanrwst i
Aberteifi – dwy ardal a fu'n gefnogol i'r Ymryson; yr ail ran, 1977 hyd
1982, cyfnod yr addasu, a'r cyfnod diweddaraf o 1983 hyd heddiw, y

cyfnod y bu'r Gymdeithas Gerdd Dafod yn gyfrifol am ei drefnu, cyfnod Tlws Rolant o Fôn. Enillwyr cyntaf y Tlws oedd Tîm Gweddill Cymru a'r aelodau oedd Aled Gwyn, Caerdydd; T. Arfon Williams, Caerdydd bryd hynny; John Gwilym Jones, Bangor a Gwilym Fychan, Powys. Erbyn 1984 roedd ymrysonwyr Maldwyn ar lwyfan yr Ymryson.

Bu farw Ann Griffiths yn fam ieuanc ar ôl geni ei chyntafanedig ddechrau Awst 1805. Yn ystod wyth mlynedd olaf ei hoes fer mynegodd yn danbaid fendigaid ei phrofiad ysbrydol dwfn, cyfriniol yn ei hemynau. Benthyciaf linell o englyn ar destun arall gan y Parchedig Lewis Valentine (1893-1986) i grynhoi'r hyn a gyflwynodd Ann Griffiths drwy ei hemynau, sef 'orau nef i'n gwerin ni'.

Dywedodd y Prifardd John Roderick Rees wrth adolygu *Blodeugerdd Bro Ddyfi* (Golygydd: D. Cyril Jones), yn y cylchgrawn *Barddas*, Tachwedd 1985: 'Ac nid wy'n meddwl bod gwell englyn yn y flodeugerdd hon nag un Gwilym Fychan i Ann Griffiths'.

Mae awdur yr englyn wedi mynegi'n ddelweddol afaelgar fywyd a gwaith yr emynyddes, a ddiolchodd fod gwrthrych i'w addoli.

30.

Joseff

Wrth i'w law naddu'r ffawydd, – a'r Iesu
   Yn chwareus a dedwydd,
   Ni wyddai y deuai'r dydd
   I'w hoelio yn ei gilydd.

Dysgodd John Glyn Jones, Dinbych, gynganeddu yng nghwmni'r Prifardd Gwilym R. Jones, un o gymwynaswyr mwyaf cydwybodol ein cenedl.

'Yn fuan wedi dychwelyd i Ddinbych i fyw perswadiwyd y Prifardd Gwilym R. Jones gan griw bach ohonom i roi gwersi ar y gynghanedd inni dros beint ar nos Wener, yn hytrach na'n bod yn gwastraffu amser yn trafod merched a ffwtbol. Roedd yn syniad gweddol feiddgar yn y cyfnod hwnnw: dosbarth swyddogol W.E.A. mewn tafarn! Ac wrth gwrs, cawsom lawer mwy na gwersi ar y gynghanedd gan Gwilym R. – roedd wrth ei fodd yn sôn am Williams Parry a beirdd eraill yr oedd yn eu hadnabod yn dda,' meddai yn y gyfres 'Fel hyn rwy'n ei gweld hi', *Barddas*, Tachwedd/Rhagfyr 2007.

Datblygodd John Glyn Jones i fod yn un o englynwyr mwyaf adnabyddus Dyffryn Clwyd. Mae'n aelod o Dîm Talwrn y Beirdd Dinbych ers dechrau'r ymryson ym 1979 a bu'n aelod o Dîm Clwyd yn Ymryson y Beirdd yn yr Eisteddfod Genedlaethol. Mae'n gyngadeirydd Pwyllgor Gwaith Barddas ac yn aelod o'r pwyllgor ers blynyddoedd maith. Bu'n Ysgrifennydd Pwyllgor Llên dwy Eisteddfod Genedlaethol, Y Rhyl a'r Cyffiniau, 1985, a Sir Ddinbych a'r Cyffiniau, 2001. Fe'i portreadwyd mewn englyn gan y Prifardd Elwyn Edwards:

> Yn ei oslef a'i islais – nid yw'n deyrn
> Ond yn deg a chwrtais;
> Ni ŵyr am gynnal malais,
> Chwydu llid na chodi llais.

Englyn gafaelgar gan englynwr medrus yn portreadu un o gymeriadau Stori'r Nadolig wrth ei waith bob dydd ydi 'Joseff'. Mae Joseff yn gymeriad rydym yn ei gymryd yn rhy ganiataol ac yn dueddol o'i wthio i ymylon y Stori Fawr. Ei weithdy yn Nasareth ydi cefndir yr englyn, ryw flwyddyn neu ddwy cyn i'r Iesu ddod yn brentis i'w dad daearol, cyfnod a bortreëdir yng ngherdd I. D. Hooson (1880-1948), 'Mab y Saer'. Gellir dychmygu'r sefyllfa gartrefol o Joseff y Saer yn chwysu wrth ei fainc a'i fab yn cael hwyl yn y naddion. 'Be' ddaw ohono?' meddyliai Joseff. 'Bydd yn rhaid iddo wrth amgenach gwaith na thrin coed'. Englyn yn portreadu tad yn gwylio ei blentyn ac englyn yn gweld rhywbeth newydd yn y cyffredin. Mae'r gynghanedd Lusg yn y llinell agoriadol yn disgrifio i'r dim y grefft o drin cyllell naddu.

31.

Er Cof am
David a Blodwen Jones, Glyndyfrdwy

Rhwygodd i'w blant o'r creigiau – ei fara'n
Llafurus dameidiau
A gwnaeth hon â'r briwsion brau
Y wyrth o rannu'r torthau.

Crybwyllwyd yr englyn hwn dros baned mewn caffi yn Aberystwyth, yn dilyn Pwyllgor Gwaith Barddas ym mis Bach 1985. Yn syth wedi ei glywed holwyd pwy oedd ei awdur. Ond nid oedd neb yn gwybod. Yn dilyn y drafodaeth arno penderfynwyd holi aelodau Barddas a darllenwyr y cylchgrawn am wybodaeth. Yn rhifyn mis Ebrill 1985 cyhoeddwyd 'Pwy Biau'r Englyn'? Yn y rhifyn dilynol cyhoeddwyd dau lythyr; 'Nodi pwy oedd yr awdur' oedd pennawd un ac 'Englyn Rhys Jones Eto' oedd pennawd y llall.

'Rhys Jones yw enw awdur yr englyn, a bu farw tuag wyth mlynedd yn ôl. Brawd hynaf fy mam a fagodd Rhys, mab Tŷ'n Celyn Bach, Glyndyfrdwy. Bachgen talentog a hawddgar iawn oedd Rhys,' meddai Llinos Hughes, Llanrhaeadr, ger Dinbych, yn 'Nodi pwy oedd yr awdur'. Ychwanegodd: 'Bu'n garcharor adeg y Rhyfel ac wedi iddo gael ei ryddhau ar ôl y Rhyfel manteisiodd ar gyfle a gynigiwyd iddo i fynd i Goleg, a bu'n athro yng nghyffiniau Birmingham. Bregus fu ei iechyd ar ôl bod yn garcharor ac nid oedd ond tua thrigain oed pan fu farw. Galwodd heibio fy mam ychydig fisoedd cyn ei farwolaeth a'i eiriau olaf wrthi oedd 'Biti na fedrwn aros chwaneg imi gael siarad am farddoniaeth hefo ti . . .'

Cafwyd mwy o wybodaeth am yr englynwr a'i englyn yn llythyr Eirlys Hughes, Carrog gynt. Roedd yr 'englyn ardderchog', meddai, 'ar garreg fedd ym mynwent Eglwys Sant Thomas, Glyndyfrdwy, ym mhlwy Edeyrnion'. Ar y garreg ceir y geiriau:

David Jones, 5, Sun Terrace
Bu farw Mehefin 2 1961 yn 63 oed
Hefyd ei briod Blodwen
Bu farw Mawrth 10 1970 yn 73 oed

a'r englyn yn dilyn.

Bu Eirlys Hughes yn sgwrsio â chwaer David Jones am yr awdur. Yn ôl y chwaer, a oedd yn byw yng Nglyndyfrdwy, chwarelwr yn chwarel lechi Moelfferna oedd ei brawd. Yn ystod tridegau'r ganrif ddiwethaf roedd bywyd y chwarelwr yn galed iawn pan oedd ei bedwar plentyn yn fach. Roedd Rhys, a oedd yn llysfab i David Jones, yn blentyn galluog yn yr ysgol. Ac meddai Eirlys Hughes: 'Mae gennyf innau gof bychan amdano yn yr ysgol yng Nglyndyfrdwy – Ysgol y Cyngor y pryd hwnnw – lle buom yn ddisgyblion. Y prifathro oedd Mr Ellis D. Jones, a fu farw ym 1955, ac os oedd gogwydd at farddoni yn unrhyw un o'i ddisgyblion, byddai Mr Jones yn gofalu am feithrin y dalent honno orau y gallai'.

Godidowgrwydd yr englyn hwn yw'r ddelwedd o droi'r llechen yn fara beunyddiol a chyflog bach y chwarelwr yn friwsion. Rhwng ei linellau synhwyrir yr aberth a wnaeth David a Blodwen Jones dros eu plant. Maent yn cynrychioli'r mwyafrif llethol o rieni eu cyfnod.

'Gan Brynu'r Amser . . .'

A ŵyr gyflymdra'r oriau – a ŵyr werth
  Parhad y munudau;
  Fe ŵyr hwn, hefyd, fawrhau
  Y goludog eiliadau.

Wrth gofio Mathonwy Hughes yn ei gyfrol *Pobl a Phethe Dinbych*, rhif 65 Llyfrau Llafar Gwlad, Gwasg Carreg Gwalch, mae R.M. (Bobi Owen) yn sôn iddo ofyn i'r bardd enwi'r tri Chymro yr oedd yn eu hedmygu fwyaf. Y cyntaf a enwodd oedd awdur yr englyn hwn, Derwyn Jones (1925-2002), Mochdre, cyn-lyfrgellydd Cymraeg Llyfrgell y Brifysgol ym Mangor o ganol pumdegau'r ganrif ddiwethaf hyd nes iddo ymddeol yn gynnar ym 1983, am ei wybodaeth anhygoel am lyfrau a llenyddiaeth.

Mae R. M. Owen hefyd yn cofio'r Parchedig Brifardd Dafydd Owen (1919-2002) a fu farw ryw chwe mis ar ôl Derwyn Jones: 'Bu marwolaeth annisgwyl ei gyfaill agos Derwyn Jones yn ergyd drom iddo. Ni chyfansoddodd Dafydd awdl na phryddest erioed heb ei dangos iddo a gofyn am ei farn arni'.

Gŵr a garai'r encilion oedd Derwyn Jones, un parod ei gymwynas i gefnogi'r pethau gorau: 'Roedd ei gymorth a'i gymwynasgarwch yn ddihareb os oeddech yn y llyfrau, ac yr oedd y rhan fwyaf – fe ballai ei help ryw fymryn efo'r hy a'r diddiolch,' meddai Gwyn Thomas, Bangor, yn ei ysgrif goffa iddo yn *Y Traethodydd*, Ionawr 2006. Yn yr un ysgrif dywedodd: 'Mae ei lyfr cerddi yn llawn o berlau'. Cyhoeddiadau Barddas a gyhoeddodd ei gyfrol ym 1992, ac roedd ei hymddangosiad yn ddigwyddiad pwysig yn hanes barddoniaeth Gymraeg. Roedd Derwyn Jones yn un o'n henglynwyr medrusaf a thrwy ei englynion dangosodd ei wir arbenigrwydd fel bardd.

Dywedwyd mewn adolygiad ar y gyfrol yn *Barddas*, Rhagfyr 1992/Ionawr 1993, mai'r englyn uchod a gafodd yr argraff fwyaf ar yr adolygydd, y Prifardd Meirion MacIntyre Huws. Mae'n englyn sy'n dangos gafael sicr Derwyn Jones ar y grefft o englyna – englyn sy'n cuddio ei fawredd fel bardd gan ei symlrwydd. Yn y llinell gyntaf mae'n crybwyll yr oriau, yn yr ail sonnir am y munudau ac yn yr esgyll dywedir am yr eiliadau. Dyma englyn sy'n portreadu bywyd – oriau plentyndod, munudau canol oed ac eiliadau'r oedolion hŷn. Mae'r llinell olaf wedi dal fflach eiliad mewn cynghanedd Groes o gyswllt.

Gellir disgrifio Derwyn Jones drwy fenthyg esgyll ei englyn coffa i gydnabod iddo:

> Gŵr siŵr, myfyrgar a'i sôn
> Yn lân fel ei englynion.

33.

Llŷn

> Heulwen ar hyd y glennydd, – a haul hwyr
> A'i liw ar y mynydd,
> Felly Llŷn ar derfyn dydd,
> Lle i enaid gael llonydd.

John Glyn Davies (1870–1953), brodor o Lerpwl, ydi awdur yr englyn telynegol hwn. Ef oedd brawd hynaf George M. Ll. Davies (1880–1949), yr heddychwr, ac un a ddisgrifiwyd gan J. Gwyn Griffiths, Abertawe, fel 'Bod llariaidd mewn byd lloerig'. Yn y Ddarlith Lenyddol Flynyddol ym Mro Dwyfor, Cricieth, 1975, dywedodd yr Athro Bedwyr Lewis Jones (1933–1992): 'Na, nid Cynan yw priod fardd Llŷn, J. Glyn Davies yw hwnnw . . . Ydyw, mae J. Glyn Davies yn un o feistri'r delyneg Gymraeg. Mae ar ei orau yn ei gerddi Llŷn'.

Mewn gwirionedd cadarnhau'r hyn a ddywedodd Saunders Lewis (1893–1985) amdano yr oedd Bedwyr Lewis Jones. Fe'i galwodd yn un o feirdd mawr ei gyfnod.

Mae ei gerddi poblogaidd i blant, sef *Cerddi Huw Puw* (1923), *Cerddi Robin Goch* (1935) a *Cerddi Portinllaen* (1936), wedi hwylio i mewn i isymwybod plant Cymru. Mae gennyf barch mawr iddo gan iddo enwi lleoedd o fewn bro fy mebyd yn rhai o'i gerddi, er enghraifft, 'Ar Fôr i Lŷn' a 'Fflat Huw Puw'. Gweithiodd hefyd gerdd i Landdaniel ac i Landegfan Ynys Môn tua diwedd ei fywyd.

Cyfareddwyd yr englynwr amlochrog gan y machlud uwch Llŷn, a mynegodd ei ryfeddod yn gwbl naturiol. 'Gallwn deimlo gydag ef y cynnwrf yn ei englyn godidog a ddarlunia fro a olygai gymaint iddo gyda'i môr a'i mynydd a'i glennydd a chloi gyda llinell wir wefreidd-iol,' meddai Cledwyn Jones yn ei gyfrol *Mi Wisga'i Gap Pig Gloyw*, astudiaeth o fywyd a gwaith John Glyn Davies. Mae'r llinell glo wedi dod yn rhan o'n geirfa i ddisgrifio lle sy'n agos at y galon. Mae'r mach-lud yn syfrdanu dyn ac yn dod ag ef at ei goel. Ddoe J. Glyn Davies yn Llŷn; heddiw y Prifardd T. James Jones ar Fynydd Epynt.

34.

Cawod

Fai ar rŵn hi'r fireiniaf – i wndwn
Fel bendith ganmolaf;
Ond cywain Awst cwyno wnaf –
Cenawes ddydd cynhaeaf.

Enillodd yr englyn hwn wobr Englyn y Dydd yn Eisteddfod Gen-edlaethol Ceredigion, Aberystwyth, 1992, i'w awdur, Dafydd Wyn Jones, Bro Ddyfi. Canu o'i brofiad fel ffarmwr y mae Dafydd Wyn, bendith a melltith cawod o law. Englyn cyferbyniol mewn iaith seml sy'n taro'r darllenydd ar y darlleniad cyntaf.

Dyma gryfder Dafydd Wyn Jones fel englynwr ac ymrysonwr. Mae'r mwyafrif o'i englynion yn taro deuddeg yn syth gyda'r gynull-eidfa. Os T. Llew Jones oedd eilun yr Ymryson yn y cyfnod cyntaf,

1951–1976, yn bendant Dafydd Wyn sy' wedi ennill calon y Babell Lên yn ystod y trydydd cyfnod, o 1983 ymlaen. Dim ond tri Ymryson y mae ef wedi eu colli ers i ymrysonwyr Maldwyn ddechrau ymrysona yn y Brifwyl.

Ganwyd Dafydd Wyn Jones ym Mlaen Plwyf Uchaf, Aberangell, Bro Ddyfi, ym 1924. Wrth droed ei englyn yn Ymryson y Beirdd yn Y Faenol, Eisteddfod Genedlaethol Eryri a'r Cylch, 2005, nododd: 'Rwy'n cysgu yn y llofft lle'm ganwyd'. Gŵr ei filltir sgwâr ddiwyll-iedig ym Mro Ddyfi ydi Dafydd Wyn, ac mae ef wedi ei gwasanaethu mewn sawl maes. Tinc ei fro a glywir yn ei englynion, englynwr sy'n canu am yr hyn sydd wrth ei draed. Fe'i haddysgwyd yn ysgol leol Aberangell ac Ysgol Ramadeg Dolgellau. Dysgodd feistroli'r cyngan-eddion mewn dosbarthiadau nos yng Nghwmlline. Cafodd Ap Gerallt (y Parchedig William Edward Jones, Y Drenewydd) a'r Parchedig Brifardd Euros Bowen (1904–1988), athrawon y dosbarth, ddylanwad arno.

Cyhoeddwyd peth o'i waith yn *Awen Maldwyn* (1960), ac yn *Blodeu-gerdd Bro Ddyfi* (Golygydd: D. Cyril Jones) chwarter canrif yn ddiweddarach. Yn y gyfrol *Deg Marc: Pigion Ymryson o'r Babell Len 1979-1998* cyhoeddwyd naw o'i englynion a gafodd ddeg marc yn Ymryson y Genedlaethol, er enghraifft, englyn yn cynnwys 'ni wn i/Am neb' yn Eisteddfod Genedlaethol Bro Colwyn, 1995:

> Yma'n awr a minnau'n hen – ni wn i
>   Am neb fel fy Eurwen;
>   Yn fy nghur hi yw fy ngwên,
>   Yn fy alaeth, fy heulwen.

Mae ei dinc hefyd yn naw Englyn Cywaith Maldwyn sydd yn y gyfrol. Mae peth o'i waith fel ymrysonwr yn y gyfrol fechan *Englynion Dan Bwysau* (2005) a olygwyd gan Emyr Lewis.

Mae'n aelod o Dîm Bro Ddyfi yn Nhalwrn y Beirdd ers ei sefydlu ym 1979 a cheir ei waith yn y cyfrolau *Pigion Talwrn y Beirdd*. Bu hefyd yn olygydd Colofn y Beirdd yn *Y Blewyn Glas*, papur bro Bro Ddyfi.

Llyfrau

Yn ddoeth ac annoeth genni – diobaith
Yw dybio eich colli;
Beth a wnaf pan fyddaf i
Heb hanes o'ch cwmpeini?

Mi ydw i wedi tyfu i fyny gyda gwaith yr Athro T. Gwynn Jones (1871-1949). Yn yr Ysgol Gynradd ym Mhentraeth, Ynys Môn, dysgais am y gwenoliaid ac am y ddwy gwningen fechan, dwy gerdd o fewn profiad plentyn. Ymhen tair neu bedair blynedd yn Ysgol Gyfun David Hughes, Beaumaris bryd hynny, dyma John Lasarus Williams, yr athro Cymraeg, yn cyflwyno'r hir-a-thoddaid bythgofiadwy o 'Ymadawiad Arthur' inni, sef awdl fuddugol Eisteddfod Genedlaethol 1902, awdl bellgyrhaeddol, ac yn pwyso arnom i'w gofio holl ddyddiau ein bywyd. Dysgais ymhen blynyddoedd i'r bardd ysgrifennu cerdd am Drychineb Senghennydd, Hydref 13, 1914. Ar ddechrau ei yrfa fel bardd fe enillodd T. Gwynn Jones wobr am gerdd goffa i'r Parchedig Richard Owen, y diwygiwr (1839-1887), un o enwogion bro fy mebyd.

Testun yr englyn yn Eisteddfod Gadeiriol Môn yn Llanfairpwllgwyngyll ym 1926 oedd 'Llyfr', a'r beirniad oedd R. Williams Parry. Ymgeisiodd tri deg wyth. Yr enillydd oedd William Griffith, Hen Barc, Llanllechid:

Os un addas ei nwyddau – yw y llyfr
Bydd er lles meddyliau;
Os sothach pŵl ei saethau
Llawer gwell i ŵr ei gau.

Cafwyd englyn campus gan *Min y Môr* hefyd:

Ei ddail sy'n llawn meddylwaith, – o'i ddeall
Pwy ddywed ei effaith?

Mwy'i flas na'r eirias araith,
Athro'n hoes a thŵr ein hiaith.

Mae'n werth cofio cwpled Ieuan Fardd hefyd:

Y cyfaill gorau, cofia,
A lleufer dyn yw llyfr da.

Er pan ydw i'n ddim o beth rydw i'n sgut am lyfrau. Oni chefais 'sterics' un flwyddyn yng Nghaernarfon am i mi weld *Y Teliffant* Nansi Richards yn ffenest siop J. R. Morris? Hyd y dydd heddiw, mae'n rhaid i mi godi llyfr i'w fras-ddarllen neu i'w fyseddu, boed lyfr o fardd-oniaeth, nofel, hunangofiant neu lyfr am bêl-droed, yn enwedig os ydi o yn un am 'Wolves'! Mae esgyll yr englyn hwn yn codi ofn arnaf. Byd heb lyfrau; ystafell heb lyfrau blith-draphlith ynddi! Uffern ar y ddaear! 'Dydw i ddim eisiau dychmygu'r profiad. O'r gerdd 'Gwen-oliaid' hyd ei englyn 'Llyfrau', mae'r bardd mawr hwn wedi crisialu fy mhrofiad.

36.

Ni Ddaw i Neb Ddoe yn Ôl

Er arian ac er eiriol, – er wylo,
Er alaeth beunyddiol,
Er gweiddi yn dragwyddol,
Ni ddaw i neb ddoe yn ôl.

Trueni nad ydym yn gwybod pwy ydi awdur yr englyn adnabyddus hwn – un sy'n dweud yn blwmp ac yn blaen fod amser yn cerdded yn hyderus ymlaen ac na ellir ei atal. Ie, fel y dywedodd yr Athro J. Lloyd-Jones, 'Munudau Duw'n mynd a dod'. Cerddwn ymlaen ydi'r neges, ond dysgwn o'r gorffennol cyfoethog. Wynebwn yfory a ddoe yn sibrwd yn ein clustiau. Cofiaf i mi glywed Gwilym R. Jones yn dweud yn rhywle ei fod yn hoffi'r sylw 'Tyn dy het i'r gorffennol a thyn dy gôt i'r dyfodol'.

Gem godidog ydi'r llinell olaf yn dwyn i gof arwyddair Ysgol Lewis Pengam, Caerffili. Ni ddychwel ddoe. Ysgol enwog yn ei dydd, ysgol a sefydlwyd ym 1723 yng Ngelli-gaer gyfagos, ysgol ac iddi hanes cyfoethog, ac ysgol sydd wedi cynhyrchu gwleidyddion a chwaraewyr rygbi rhyngwladol. Ei disgybl enwocaf oedd Thomas Jones (1870-1955), y ffigwr cyhoeddus o Rymni a fu'n gefn mawr i Lloyd George.

Wrth ddwyn ddoe'r ysgol i gof daw enw tri gŵr a fu'n athrawon ynddi. Un ydoedd Tom Matthews, brodor o Landybïe a fu'n athro Cymraeg a Daearyddiaeth o 1911 hyd 1916. Tra oedd yn yr ysgol golygodd ddwy gyfrol, *Llên Gwerin Blaenau Rhymni* (1912), a ganmolwyd gan O. M. Edwards, a *Dail y Gwanwyn* (1916), llyfr ar yr un thema â'r gyfrol gyntaf. Yn y gyfrol hon cyhoeddwyd yr englyn uchod. Yn Eisteddfod Genedlaethol Rhydaman, 1922, enillodd y Parchedig J. D. Richards, Bedlinog, a fu'n weinidog ar Hedd Wyn yn Nhrawsfynydd cyn symud i'r De â'r 'Gân Hiraeth: y diweddar Tom Matthews, M.A.'. Bu D. J. Williams (1885-1970), Abergwaun, yn athro am un tymor yn unig, sef tymor y Nadolig, 1918. Meddai D.J.: 'Ym Mhengam y cefais fy swydd gyntaf fel athro. Dros dro yr oeddwn yno – a Chymraeg oedd fy mhrif bwnc ynghyd â gwaith y Gymnasiwm'. Ar Fawrth 17, 1926, yr oedd D. J. Williams ar restr fer o chwech am y swydd o brifathro'r ysgol. Roedd saith deg chwech wedi gwneud cais. Gŵr o Abertawe a benodwyd. Bu Alun Lewis (1915-1944), 'bardd Saesneg gorau'r Ail Ryfel Byd', yno yn athro am ddeunaw mis cyn ymuno â'r fyddin ym 1940.

Marwolaeth Tad y Bardd

O fwynion ddynion, bob ddau – cyfarwydd,
    Cyfeiriwch y rhwyfau:
Tynnwch ar draws y tonnau
Â'r bardd trist yn ei gist gau.

Gruffudd Phylip, un o Phylipiaid Ardudwy, ydi awdur yr englyn
hwn. Bu ef farw ym 1666 a galwyd ef yr olaf o'r hen feirdd. Mab Siôn
Phylip (1543?-1620), gwrthrych yr englyn hwn, oedd Gruffudd. Roedd
y Phylipiaid ymhlith y clerwyr olaf yng Nghymru. Boddwyd Siôn
Phylip ar Chwefror 13, 1620, ym Mwllheli, pan oedd ar fin croesi oddi
yno i'w hen gartref ym Mochres ar ôl taith glera drwy Sir Fôn a gwlad
Llŷn. Fe'i claddwyd ym mynwent Eglwys Llandanwg yn ymyl ei
gartref, dan y ffenestr ddwyreiniol. Ceir pennill ac englyn, o waith
Huw Llwyd o Gynfal, ar garreg ei fedd. Yn ôl T. I. Ellis yn ei gyfrol
Crwydro Meirionnydd (1954): 'Amheuai John Morris-Jones ai bedd rhyw
I. Ph. (dyna sydd ar y garreg) arall ydyw: ac ychwanega mai Morgan
Dafis, gŵr y Llew Glas yn Harlech, oedd yn gyfrifol am y pennill a
ddaw o flaen yr englyn'. Gweithiodd Geraint Bowen ddau englyn,
'Wrth Fedd Siôn Phylip'. Yn y cyntaf mae'r ymwelydd yn cyfarch y
môr ac yn yr ail mae hwnnw yn ateb.

Yn ystod ei oes gweithiodd Gruffudd Phylip chwe marwnad ar
hugain. Yn eu mysg y mae rhai a ganodd ar ôl ei noddwyr pennaf, er
enghraifft, William Fychan Corsygedol, plwy Llanddwywe, Sir Feir-
ionnydd. Ei farwnadau gorau ydi'r rhai a ganodd ar ôl ei dad a Rhisiart
Hughes, Cefn Llanfair, Llŷn. Y mae'r farwnad i'r Archesgob John
Williams yn llai adnabyddus.

Englyn gafaelgar ydi hwn, englyn sy'n gorchymyn yn fwyn y
morwyr bob yn ddau i rwyfo â'r cwch ar draws Bae Ceredigion tua
Llandanwg. Gan ddefnyddio dwy gynghanedd Sain, un i agor yr englyn
ac un i'w gloi, mae'n cyfleu sŵn y cwch trist yn croesi'r môr.

Hiraeth ar Ôl ei Ferch

Mae cystudd rhy brudd i'm bron, – 'rhyd f'wyneb
Rhed afonydd heilltion;
Collais Elin liw hinon,
Fy ngeneth oleubleth lon.

Yn ôl cofiannydd Goronwy Owen, y Prifardd Alan Llwyd, 'deigryn o englyn' ydi hwn. Dyma'r englyn sy'n agor yr awdl anghyflawn, 'Awdl Farwnad Elin, Unig ferch y bardd' (*Blodeugerdd Barddas o Ganu Caeth y Ddeunawfed Ganrif*, Golygydd: A. Cynfael Lake, 1993).

Bu farw Elin yn bymtheng mis oed. Plentyn musgrell oedd hi o'i genedigaeth. Ar y pryd yr oedd Goronwy Owen yn gurad yn Walton, Lerpwl, ac ef ei hun a gladdodd Elin ar Ebrill 11, 1755. 'Ergyd ofnadwy oedd hon iddo, a golygfa dorcalonnus oedd gweld y bedd newydd bob dydd, gyda dim ond rhwng hanner a thri chwarter erw, 'deurwd neu dri', chwedl y tad galarus, rhwng y tŷ a'r bedd hwnnw,' meddai Alan Llwyd.

Yn iach, fy merch lwysfach lon, – f'angyles,
Gorffwys ym mynwes mynwent Walton . . .

meddai Goronwy. Ymhen mis ar ôl y farwolaeth yr oedd Goronwy Owen yn cefnu ar Walton ar ôl bod yno am ddwy flynedd ac yn ei throi hi am Lundain.

Mae'r englyn hwn, oherwydd didwylledd y profiad a fynegir ynddo, wedi goroesi o'r ddeunawfed ganrif i'n dyddiau ni. Mae'r profiad yn cael ei fynegi yn syml o gadarn. Mae'n dweud mai profiad unigol ydi profedigaeth, rhywbeth personol iawn ydi galar yr unigolyn.

Un o gymeriadau mwyaf cymhleth ein llenyddiaeth oedd Goronwy Owen o'r Dafarn Goch, Llanfair Mathafarn Eithaf, Ynys Môn. Eglurodd Thomas Parry (1904-1985) mai Goronwy Owen oedd y bardd galluocaf o ddigon yng nghylch y Morrisiaid ac na fuasai ei gywyddau ysgolheigaidd yn bosibl oni bai am englynion carbwl ei dad. Yn nwfn ei enaid credai iddo gael ei wrthod gan ei fro enedigol. Y frawddeg dristaf yn *Y Bywgraffiadur Cymreig hyd 1940* ydi un Gwenallt am ymadawiad Goronwy â Môn ym 1746: 'Gorfu iddo adael . . .'

Mae ei stori yn dangos yn glir mai'r un yw dyn ymhob oes, 'does dim yn newydd ym mhrofiad dyn. Yn y gwraidd yr un hen gwestiwn sydd yn codi: sut mae dyn yn wynebu'r problemau sy'n codi yn ei fywyd, rhai personol, rhai teuluol, rhai cyllidol a rhai galwedigaethol. Ydi o yn torchi ei lewys ac yn eu hwynebu, yn boddi ei ofidiau ac yn eu hanwybyddu, ynteu symud i ardal newydd gan feddwl ei fod yn cefnu arnynt? A oedd rhywbeth ym mhersonoliaeth Goronwy Owen nad oedd yn ei ddeall?

39.

Cesair ar Eirlysiau

Finioced ei galedwch – yn curo
Yn llaw cawr tywyllwch;
Mae brad ei drawiad a'i drwch
Yn forthwyl ar brydferthwch.

Un o dri phrifardd yn hanes yr Eisteddfod Genedlaethol sydd wedi cyflawni'r dwbwl ddwywaith ydi awdur yr englyn hwn. Ef oedd y diwethaf i gael ei goroni a'i gadeirio yn yr un Brifwyl, sef Wrecsam ym 1977, a Dyffryn Lliw ym 1980. Hoffais yr englyn hwn cyn gynted ag y darllenais ef yn *Barddas*, Ebrill 1990. Ysgrifennodd y Prifardd Tom Parri Jones (1905-1980), Ynys Môn, delyneg, am yr eirlysiau. Fe'u gwelodd â'u pennau i lawr fel pe'n cywilyddio fod y byd wedi bod yn rhyfela o 1939 hyd 1945. Byth ers darllen y gerdd yn ei gyfrol gyntaf o farddoniaeth, *Preiddiau Annwn a Cherddi Eraill* (1946), mae gen i fwy o ddiddordeb mewn cerddi am y blodyn. Mae'r bardd yn gweld yr eirlysiau yn yr englyn hwn yn plygu i drefn natur. Mae'n gweld y ddwy ochor sydd i'r drefn, ei chaledwch ar un ochor a'i thynerwch ar y llall, yr hagrwch a'r prydferthwch. Mae'r diniwed byth a beunydd yn cael ei daro gan law galed y gormeswr, ond mae ef yn dal i wenu. Ceir portread disentiment o fywyd yn yr englyn hwn.

Gŵr na orffwysodd ar ei rwyfau wedi iddo ennill prif wobrau barddoniaeth yr Eisteddfod Genedlaethol ydi Donald Evans, brodor o Dalgarreg, ardal Llandysul, Ceredigion. Ardal gyfoethog ei beirdd ac ardal sydd wedi codi nifer fawr o brifeirdd – prifeirdd y Genedlaethol a eisteddodd yng nghadair Eisteddfod Genedlaethol yr Urdd ar eu ffordd i Gadair y Genedlaethol – ydi'r ardal hon. Mae Donald Evans yn un ohonynt. Pan oedd yn ddisgybl yn Ysgol Gynradd Talgarreg, eisteddodd wrth draed Tom Stephens a T. Llew Jones. Addysgwyd ef ymhellach yn Ysgol Gyfun Aberaeron a Choleg Prifysgol Cymru, Aberystwyth. Bu'n athro yng Ngheredigion cyn ymddeol yn gynnar i gael amser i lenydda. Mae'n awdur toreithiog; fel bardd mae'n awdur deuddeg cyfrol ac ynddynt mae'n fardd sy'n mynegi parhad dylanwadol hen bwerau cyntefig o hyd yn ein bywyd dyddiol. Fel golygydd mae wedi bod yn gyfrifol am ddwy gyfrol *Parsel Persain* (1976) ac *Y Flodeugerdd o Gywyddau* (1981). Fel beirniad llenyddol, cyhoeddodd astudiaeth o fywyd a gwaith Rhydwen Williams yn y gyfres *Writers of Wales* (1991).

Ym 1997 cyhoeddodd *Asgwrn Cefen*, 'Pryddest ryddiaith' yn portreadu 'ansawdd y bywyd gwledig Cymreig ar Fanc Siôn Cwilt . . . yng nghyfnod ei drawsnewid o bobtu canol yr ugeinfed ganrif', yn ôl y broliant. Ym mis Mai 2008 cyhoeddodd, ar ei liwt ei hun, *Awdlau'r Brifwyl 1950-1999*, cyfrol sy'n trafod nifer o agweddau ar yr awdl – y safonau a'r testunau, diffygion a rhagoriaethau ffurf, gramadeg a strwythur ynghyd â'r deunydd ei hun. Enillodd Ddoethuriaeth am ei ymchwil. Dros y blynyddoedd, mae'r Prifardd Donald Evans wedi mynd ati yn ewyllysgar i arbenigo fel bardd.

Afallon

Nid ar dir ac nid ar don – unrhyw fap
Y mae'r fwyn Afallon,
Ond ymhob dyfal galon
Wir Gymreig mae erwau hon.

Awdur yr englyn hwn ydi Robert Elis Jones (1908-1992), R.E. Llanrwst i eisteddfodwyr. Brodor o Langernyw, Sir Ddinbych, oedd ef, a threuliodd ei oes waith ym myd addysg fel athro yn Nhal-y-bont, Dyffryn Conwy, a Dolgarrog, cyn cael ei benodi yn Brifathro Ysgol Cwm Penmachno ac Ysgol Dolbadarn, Llanberis. Yng nghanol chwedegau'r ganrif ddiwethaf symudodd ef a'i deulu i fyw i Lanrwst. Bu yno yn asgwrn cefn i'r Pethe am weddill ei oes. Y llinell gyntaf o waith R. E. Jones i lynu yn y cof oedd ei ddisgrifiad o Mari Lewis – Mam Rhys Lewis yn nofel Daniel Owen (1836-1995): 'A'i Beibl yn grybibion'.

Flynyddoedd yn ddiweddarach, yn Ymryson y Beirdd, Eisteddfod Genedlaethol Dyffryn Lliw, 1980, gofynnwyd iddo lunio englyn yn cynnwys y llinell 'Ffoi o'r ŵyl a ffarwelio'. Dyma ei baladr:

Rhyw brofiad trwm, trwm bob tro
Ffoi o'r ŵyl a ffarwelio.

Bob pnawn Sadwrn olaf y Genedlaethol byddaf yn ei sibrwd wrthyf fy hun. O sôn am yr Ymryson, mae'n bwysig cofio mai syniad R.E. oedd ei gynnal yn y Babell Lên.

'Yn Eisteddfod Llanrwst 1951 yr oeddwn yn Llywydd y Pwyllgor Llên. Gallaf hawlio mai fi oedd yn gyfrifol am gael Ymryson y Beirdd i'r 'Steddfod. Cawsom wythnos o gystadlu rhwng timau o wahanol rannau o'r wlad (William Morris yn Feuryn). Bu'r arbraw (diolch i William Morris yn bennaf) yn llwyddiant mawr – a'r Babell Lên –

peth digon anghyffredin y dyddiau hynny – yn llawn, a gorlawn bob dydd. I bob pwrpas bu'r Ymryson yn rhan o'r 'Steddfod byth ers hynny,' meddai R. E. Jones yn ei fywgraffiad byr a gyhoeddwyd yn y gyfrol, *Llangernyw, Llanrwst a Chymru*, i gofio am R. E. Jones (2005). Yn ystod ei oes cyhoeddodd nifer o gyfrolau yn dangos ei ddawn fel ergydiwr cynganeddol ffraeth iawn, ond mae'i awen yn rhychwantu'r dwys a'r digri. Dengys ei gyfrol o gerddi *Awen R.E.* (1989), hyn ac o'r gyfrol hon y codwyd yr englyn uchod, englyn sy'n cadarnhau ei ddawn i ddweud pethau ysgytwol o syml ac eto sydd â dyfnder ystyr iddyn nhw. Fel y dywedodd y Prifardd Tudur Dylan Jones am ei ddawn: 'Mae pob un bardd o bwys, mi gredwn i ar ryw adeg, yn ei yrfa wedi llunio barddoniaeth wladgarol neu ymdrin â phwnc yr iaith a'r genedl, ond tybed a luniwyd pob un o'r cerddi hyn o dan wir deimlad. Mae rhywun yn gwybod o ddarllen gwaith R.E.'

41.

Paent

Y mae 'Cofier Tryweryn' – ar y wal
Er mor hen â burgyn,
A her mewn esgyrn claerwyn
Yn dal i boenydio dyn.

Un o feirdd Mynytho, Llŷn, ydi awdur yr englyn hwn, y Prifardd Moses Glyn Jones (1913-1994). Fe'i ganed yno a bu'n byw yn yr ardal am y rhan fwyaf o'i oes. Addysgwyd ef yn Ysgol Foel-gron, Ysgol Ramadeg Pwllheli a Choleg Prifysgol Cymru Gogledd Cymru, Bangor. Athro oedd wrth ei alwedigaeth, athro Bioleg ym Mhenrallt, Pwllheli, ac roedd yn arddwr wrth reddf ac yn enweiriwr medrus. 'Does ryfedd felly ei fod yn un o'n beirdd natur praffaf. Yn Eisteddfod Genedlaethol Bro Myrddin, 1974, enillodd y Gadair am ei awdl delynegol graff

'Y Dewin'. Gwelodd mai natur yw'r dewin, weithiau yn dwyn marwolaeth, bryd arall fywyd newydd. Eithr y mae adegau pan fo marwolaeth a bywyd yn gwlwm yn ei gilydd. Mae ei englynion milwr ynddi yn gafael, er enghraifft:

'Onid ôl ei sandalau
Ydyw cwm yn ymdecáu?'
Lludw rhos yw llaid yr oesau.

Cyhoeddodd y bardd, a enillodd lawer o sylw a chlod drwy saith-degau ac wythdegau'r ganrif ddiwethaf am ei gerddi awgrymog, sylwgar a chwareus-athronyddol, bedair cyfrol. Yn *Y Ffynnon Fyw* (1973), *Mae'n Ddigon Buan* (1977), *Y Sioe* (1984) ac *Y Dewin a Cherddi Eraill* (1993), cawn weld fod ganddo ddawn y gwir fardd fel y dywed-odd Branwen Jarvis. Ym 1984 golygodd *Blodeugerdd Llŷn*, ac meddai yn ei ragair: 'Yr englyn yw'r ffurf fwyaf derbyniol; gan na ddyfeisiwyd ffurf amgenach nis disodlwyd, ac y mae ym mêr ein hesgyrn, er gwell neu er gwaeth. O hyd ac o hyd myn y beirdd gloi eu gweledigaeth o fewn cwmpas ei ddeg sill ar hugain . . .'

Mae'r englyn hwn, yn enwedig y llinell glo naturiol, yn distyllu profiad y genedl wrth iddi sylwi ar y neges ar dalcen y murddun y tu allan i bentref Llanrhystud, Ceredigion.

Capel Celyn oedd y ddyrnod yr oedd ei hangen ar ein cenedl i'w deffro o'i thrwmgwsg. Mae'r englyn hwn yn arswydo rhywun, 'wiw i ni orffwyso ar ein rhwyfau neu sgerbwd o genedl a fyddwn.

Amser

Os wyf pan syllwyf ar sêr – yn ddyn rhydd
    Yn yr awr ddiamser
    Nid wyf ond ysbaid o wêr,
    Nid wyf ond ennyd ofer.

Englyn gan y Prifardd Gerallt Lloyd Owen i'n sobri ydi hwn, englyn crefftus sy'n mynegi'r hen hen neges yn glir. Englyn yn dwyn i go' y Salmydd, y Proffwyd Eseia a Syr T. H. Parry-Williams, ac aralleiriad y Parchedig Lewis Valentine (1893-1986) o'r wythfed Salm:

    Pan syllwyf ar Dy nefoedd, gwaith Dy fysedd,
    Y lloer a'r sêr a luniaist,
    Gofynnaf 'Beth yw dyn brau i ti i'w gofio
    Neu druan o ddyn i ti ofalu amdano?'

Fe sylwodd y Proffwyd Eseia hefyd wrth fyfyrio ar freuder dyn: 'Llais un yn dweud 'Galw' a daw'r ateb 'Beth a alwaf?' Y mae pob dyn meidrol fel glaswellt a'i holl nerth fel blodeuyn y maes. Y mae'r glaswellt yn crino, a'r blodeuyn yn gwywo . . .'

Oni ofynnodd Syr T. H. Parry-Williams hefyd yn y ganrif ddiwethaf: 'Beth ydwyt ti a minnau, frawd?' Yn wir daw noson serog â rhywun at ei goel, a pheri iddo sylweddoli ei faint yn nhrefn natur.

Ganwyd yr awdur yn Llandderfel ym mis Tachwedd 1944, ac wrth hel ffeithiau am ei fywyd a'i waith dygaf i gof dri dyddiad nad ydynt yn cael eu crybwyll yn rheolaidd yn ei hanes. Yn *The Radio Times*, Tachwedd 12, 1964, mewn erthygl fer am y rownd gyn-derfynol yn Ymryson Areithio Colegau Cymru, dywedir am Gerallt Lloyd Owen, y Coleg Normal, Bangor: 'Efrydydd 19 oed ar ei flwyddyn gyntaf yw Gerallt. Mae'n enedigol o Gefnddwysarn (*sic*) ond yn awr yn byw yng Nghaernarfon. Mae'n englynwr da ac yn dipyn o fardd'.

O gofio'r frawddeg olaf yna cofiais i'r Prifardd Gerallt Lloyd Owen ennill ar yr englyn yn Eisteddfod Genedlaethol Bro Myrddin, 1974, ar y testun 'Cwrwgl', a'r flwyddyn ddilynol ym Mro Dwyfor, 1975, ar y testun 'Gwenynen'. Ef oedd enillydd cyntaf Tlws Coffa W. D. Williams o dan y drefn bleidleisio gan aelodau Barddas. Cyflwynwyd y Tlws iddo yn Eisteddfod Genedlaethol Abergwaun, 1986, am ei englyn gafaelgar 'Plentyn yn Angladd ei Fam', englyn 'sy'n dweud y cyfan am unigrwydd profedigaeth o golli rhywun sy'n annwyl gennych':

Yr oedd yno wrtho'i hun – er bod tad,
Er bod torf i'w ganlyn;
Ddoe i'r fynwent aeth plentyn,
Ohoni ddoe daeth hen ddyn.

Cyhoeddwyd yr englyn gyntaf yn *Barddas*, Mehefin 1985. Yn ystod y deugain mlynedd diwethaf, datblygodd y Prifardd Gerallt Lloyd Owen i fod yn englynwr iasol ac i fod yn glamp o fardd. Fel y dywedodd Dr Dafydd Johnston: '. . . mae Gerallt Lloyd Owen wedi gwneud cyfraniad mawr iawn at sicrhau'r safon eithriadol o uchel sydd i'n canu caeth heddiw. Saif ei dair cyfrol yn gerrig milltir yn dynodi datblygiad y mudiad cynganeddol diweddar . . .'

43.

Fy Mam

Gwên siriol oedd ei golud, – a gweini'n
Ddi-gŵyn oedd ei gwynfyd;
Bu fyw'n dda, bu fyw'n ddiwyd
A lle bu hon mae gwell byd.

Yr emynydd, y Parchedig W. Rhys Nicholas, Porth-cawl, ydi awdur yr englyn nodedig hwn, englyn coffa i'w fam, Mrs Sarah Nicholas,

71

Pen-parc gynt, Tegfryn, plwy Llanfyrnach, Sir Benfro. Mae esgyll yr englyn ar go' gwlad ers blynyddoedd a mynych iawn y clywir ei lefaru i gloi teyrnged mewn angladdau o Dyddewi i Lannau Dyfrdwy ac o Gaergybi i Gaerdydd.

Brodor o ardal Tegfryn, Sir Benfro, oedd W. Rhys Nicholas (1914-1996), ardal sy' wedi codi nifer o feirdd, yn eu mysg y Parchedig D. Gwyn Evans. Fe ganodd yntau i'w fam hefyd. Onid yw'r ail englyn o'r gyfres o chwech yn codi o'r galon:

> Ymdopodd i glymu deupen – yno
> Â'i challineb cymen;
> Yn ei gwaith bu mam â gwên
> Rhyngom â phob rhyw angen.

Ac esgyll y pedwerydd englyn:

> Byw'n blês fu ei hanes hi
> Yn oludog mewn tlodi.

Fe gofir William Rhys Nicholas yn bennaf fel emynydd. Mae ei emyn 'Tydi a wnaeth y wyrth, O! Grist, Fab Duw', a enillodd wobr yr emyn yn Eisteddfod Rhys Thomas James, Pantyfedwen, Llanbedr Pont Steffan, ym 1967, ar y dôn Pantyfedwen, yn cael ei alw yn emyn gorau ail hanner yr ugeinfed ganrif. Fe ddylem hefyd ei gofio fel bardd a'i ddawn loyw fel cynganeddwr. Y mae ei englynion, fel yr uchod, yn dangos ei gryfder fel englynwr epigramatig, ac enghraifft arall ydi'r esgyll hwn:

> O'r garw eu rhoi i'r gweryd
> A throi i gloi'r aelwyd glyd.

Bu'n fardd eisteddfodol llwyddiannus hefyd gan ennill yn yr Eisteddfod Genedlaethol am emynau, cywydd coffa, baled, hir-a-thoddaid a'i Salm Foliant 'Y Gweddill'. Gwobrwywyd y Salm yn Y Fflint, 1969.

Gwnaeth ddiwrnod da o waith fel golygydd hefyd. 'Pan oedd yn weinidog yng nghylch Llandysul (Bwlchygroes a Horeb – 1952 i 1965) daeth i gysylltiad â Gwasg Gomer. Bu'n golygu llawysgrifau iddynt a chafodd y fraint o weld gwaith nofelwyr fel Islwyn Ffowc Elis, Eigra Lewis Roberts a Jane Edwards yn mynd drwy'r Wasg,' meddai D. T. Evans yn *Pobl y Ffordd* (1983).

Bu â'i fys wedyn mewn llawer i frwes llenyddol, gan gynnwys golygu Cyfansoddiadau'r Eisteddfod Genedlaethol o 1978 hyd 1988.

44.

Olwyn Ddŵr Y Wern

Gyda'r gaea'n troi'n Wanwyn, – rhoi yn hael
a wna'r nant bob galwyn
o'i dŵr hi, a gweld yr wy'
na reolaf yr olwyn.

Un o englynion olaf T. Arfon Williams (1935-1998) ydi'r uchod, englyn iasol sy'n ein hannog i edrych yn ddyfnach ar ein profiadau, i edrych arnynt o ongl gwbl newydd, ac englyn sy'n cadarnhau nad oes i ni yma ddinas barhaus. Englyn y dywedodd Gwyn Erfyl amdano yn ei deyrnged i Arfon, Hydref 23, 1998: 'Dyna'i grefft. Dyna hefyd ei gyffes ffydd. Mae trefn. Mae 'na ffrwydrad bob gwanwyn a llifeiriant i droi'r rhod. Ond nid y ni sy'n ei throi'. Cytunaf ag Emyr Lewis pan ddywedodd am yr englyn hwn: 'Mae'n crisialu athroniaeth, a phersonoliaeth dawel, obeithlon a dirodres Arfon Williams'.

Roedd T. Arfon Williams yn gynganeddwr campus a'i englyn delweddol yn dangos ei feistrolaeth lwyr ar ei grefft. Roedd ei arddull yn unigryw yn y mesur, yn un frawddeg lifeiriol o'r sillaf gyntaf hyd at y sillaf olaf. Rwy'n cofio T. J. Harris (1909-1999), Rhymni, yn gofyn a roddodd yr englynwr, y brodor o Dreherbert, Y Rhondda, ormod o bwysau ar y deg sill ar hugain. O ganlyniad i'w englyna newydd fe gyflwynwyd y term 'yr englyn Arfonaidd' i eirfa'r beirniad llenyddol. Ym 1974 y taniwyd diddordeb aruthrol T. Arfon Williams yn y gynghanedd.

Pan ddechreuodd Dr Meredydd Evans ar ei waith yn Adran Efrydiau Allanol, Coleg y Brifysgol, Caerdydd, ym 1973, bywiogodd yr Adran Gymraeg ynddi. Sefydlodd ddosbarthiadau newydd yn y brifddinas a'r cymoedd, er enghraifft, Dosbarth Trafod Llenyddiaeth yng Nghaerffili mis Hydref 1973, a dosbarth sy'n dal i fynd. Yng Nghaerdydd sefydlodd Ddosbarth Cynganeddu yng ngofal T. Gwynn Jones, Abergwaun heddiw. Un a gofrestrodd yn y dosbarth oedd T. Arfon Williams. Ym mis Rhagfyr 1973 dechreuodd Alan Llwyd olygu'r Golofn Farddol yn *Y Cymro*, a bob mis gosodai gystadleuaeth. Un tro y testun oedd englyn i hysbysebu unrhyw nwydd. Enillydd y gystadleuaeth oedd T. Arfon Williams gydag un o'i englynion cyntaf, hysbyseb i 'Shredded Wheat'. O fewn ychydig fisoedd o ddysgu'r gynghanedd roedd englynwr newydd wedi ei ddarganfod, bardd o englynwr a ddaeth yn un o saith rhyfeddod yr englyn ar ddiwedd yr ugeinfed ganrif. Mynd o nerth i nerth fel englynwr a wnaeth Arfon a bywiocáu'r englyn mewn sawl maes. O fewn pedair blynedd i ddechrau englyna cyhoeddwyd pedwar ar bymtheg o'i englynion yn *Y Flodeugerdd Englynion* (Golygydd: Alan Llwyd) a chyfrol o'i gerddi, *Englynion Arfon*. Ym 1980 rhannodd y wobr ag ef ei hun a dau englynwr arall yng nghystadleuaeth yr englyn, yn Eisteddfod Genedlaethol Dyffryn Lliw. 'Y Draffordd' oedd y testun, ac aeth yn ei flaen i ennill y gystadleuaeth bum gwaith wedyn, a'i beirniadu deirgwaith. Yn un o'i feirniadaethau wrth feirniadu un englynwr a enillodd y gystadleuaeth, dywedodd: 'Cafodd weledigaeth a glynu wrthi gan roi cysondeb delweddol i'w englyn drwyddo'. Mabwysiadaf y frawddeg i grynhoi gwaith T. Arfon Williams.

Gras o Flaen Bwyd

O! Dad, yn deulu dedwydd – y deuwn
  Â diolch o newydd,
Cans o'th law y daw bob dydd
Ein lluniaeth a'n llawenydd.

Yn ei drydedd gyfrol o gerddi, *Cân ac Englyn* (1950), teitl cwta oedd i'r englyn uchod, 'Cyn Bwyta'. Pwy a barchusodd y teitl, tybed? Fel y dywedodd ei awdur, W. D. Williams (1900-1985), wrthyf un prynhawn ar ddechrau'r wythdegau yng ngorsaf fysus Y Drenewydd, dyma'r englyn a orfodwyd ar blant Cymru!

Roedd W.D. wrth ei fodd yn adrodd hanes yr englyn hwn yn ystod sesiynau Ymryson y Beirdd yn y Babell Lên. Cofnodwyd yr hanes gan un o'i feibion, Dr Iwan Bryn Williams, Y Bala, yn ei erthygl 'Edrych yn ôl ar W. D. Williams ar achlysur canmlwyddiant ei eni', *Barddas*, rhifyn Rhagfyr/Ionawr, 2000-2001:

Yr oedd W.D. bellach yn Brifathro yn Y Bermo ers Ionawr 1942, yn rhedeg ysgol fawr a oedd yn gymysgfa o frodorion, pobol ddwad a llu o noddedigion o ardal Birkenhead. Ei gryfder oedd dyfeisio ffyrdd o sicrhau addysg ddwyieithog effeithlon ar adeg mor anodd. Yn fuan ar ôl cyrraedd y Bermo clywodd ei fod wedi ennill ar yr Englyn yn Eisteddfod Sarnau, ond nid oedd wedi mynd i'r Eisteddfod. Yr oedd i fod i dderbyn chwecheiniog o wobr ond gan nad oedd yn bresennol yn yr Eisteddfod roedd yn rhaid fforffedu pris tocyn dosbarth cyntaf, sef hanner coron. Bu yn nyled y 'Steddfod hon ar hyd ei oes a phawb arall mewn credyd o gael y 'Gras o Flaen Bwyd' taclus a swynol i'w adrodd. Byddai W.D. wedi hen glirio'r ddyled pe buasai wedi cael dime bob tro y defnyddiwyd yr englyn yma. Cofiaf ei syndod, a ninnau yn edrych ar ddangosiad cynnar o'r ffilm *The Last Days of Dolwyn*, yn Leicester Square, o glywed ei englyn yn cael ei lefaru gan un o'r sêr. Ni chafodd gais am ei ddefnyddio na breindal 'chwaith.

Adroddwyd yr englyn hefyd tua diwedd yr ugeinfed ganrif amser cinio bob dydd Sul yn un o dai preswyl Coleg Eton. Wrth agor y Rhaglen Deyrnged i W. D. Williams, yn y Babell Lên, Eisteddfod Genedlaethol Caernarfon, 1979, dywedodd y Parchedig O. M. Lloyd ei fod ef yn rhestru cyfres o englynion W.D., 'Yr Hogiau, Ebrill 1941', allan o *Cerddi'r Hogiau* (1942), ymhlith ei waith gorau.

Mae'r gyfres o chwe englyn yn agor fel hyn:

> Mae'r hogiau oedd mor agos – wedi mynd
> Ymhell o'u hen deios,
> A hir yw pob ymaros
> Amdanyn' fan hyn, fin nos.

Yn y pedwar englyn dilynol ceir dibynnu helaeth ar gynganeddu enwau bechgyn ac enwau gwledydd pell, er enghraifft:

> Non a Som yn Ynys Iâ
> A Dan yn Macedonia.

A'r englyn clo:

> Minnau yn Llanymynydd – yn holi
> Am eu helynt beunydd;
> O, na ddôi yn fuan ddydd
> Y gwelem bawb ein gilydd.

Symlrwydd a miwsig y geiriau, rhywsut, yn taro tant yng nghalonnau pobl yn ystod yr Ail Ryfel Byd.

Albwm Lluniau

'A phwy yw hwn . . .?' holai'n ffôl – wrth rythu
    Ar rith ei orffennol,
      A'r wyneb ystrydebol
      Ugain oed, yn gwenu'n ôl.

Stori fer o englyn ydi'r englyn modern hwn, stori am hen ŵr ffwndrus, dioddefwr o'r clefyd erchyll Alzheimers. Wrth sôn am y clefyd daw i'm cof bryddest nodedig Wil Ifan (1883-1968), pryddest fuddugol Eisteddfod Genedlaethol Pwllheli, 1925, 'Bro Fy Mebyd'. Mae'r cymeriad yn y bryddest â'i feddwl ar chwâl hefyd.

Englyn trawiadol ydi'r englyn di-nam hwn, englyn a enillodd gystadleuaeth yr englyn yn y cylchgrawn *Barddas*, Chwefror a Mawrth 2001. Ymgeisiodd 67 mewn cystadleuaeth gref. Yn y rhifyn dilynol cyhoeddwyd mai'r enillydd oedd Tony Bianchi, enw newydd sbon ym myd englyna ar y pryd. Datblygodd yr englynwr yn nosbarth cynganeddu llewyrchus Rhys Dafis. Aeth yr englynwr nobl hwn o nerth i nerth yn y gystadleuaeth uchod ac o ganlyniad enillodd Dlws Coffa W. D. Williams deirgwaith, y tro cyntaf yn Ninbych, 2001, gyda'r englyn uchod, ac ym Meifod gyda'i englyn 'Cloch':

    "Dewch! Dewch!" medd y tafod awchus – o dŵr
      Didaro yr eglwys,
        A'r dyrfa ar waetha'r wŷs
        Yn fyddar dangnefeddus.

Y trydydd tro iddo ennill Tlws W. D. Williams oedd yn Y Faenol, 2005, am ei englyn 'Cragen':

    Duw'n hudo? Neu droednodyn – o hanes
      Eigionau? Ar rimyn

Ei eirfa daw'r credadun
I wrando'i eco ei hun.

Nid yn unig yr oedd yn ennill cystadleuaeth *Barddas* yn rheolaidd, yr oedd hefyd yn fuddugol yn yr Eisteddfod Genedlaethol ddwy flynedd yn olynol. Yn Eisteddfod Genedlaethol Sir Benfro, Tyddewi, enillodd ar y testun 'Dewi Sant', a'r flwyddyn ddilynol ym Meifod, apeliodd y testun 'Dolwar Fach' ato ac apeliodd ei englyn at y beirniad Gerallt Lloyd Owen hefyd. Englynwr cyforiog ei awgrym ydi Tony Bianchi.

47.

John Williams, Llannerch-y-medd

Yn ei waeledd fe welai – y lôn bost
Yn lein bell a throedai
Yn osgeiddig cans gwyddai'n
Oriau'r hwyr mai adre'r âi.

Englyn Coffa i'w ewythr ydi'r englyn hwn gan y Prifardd Iwan Llwyd.

Yn ei gyfrol *Crych dros Dro*, Cyfres y Cewri, rhif 27, dyma beth sydd gan Gwilym Owen i'w ddweud am John Williams (1908-1992): '. . . yn y cyfnod hwnnw y dois i adnabod y bardd gwlad, John Williams, neu J.W. Cadw ffyrdd yr ardal yn dwt i Gyngor Sir Môn oedd gwaith J.W., a phan fyddai wrth ei waith ar y ffordd tuag at Glan Rhyd mi fyddwn i'n cael oriau yn ei gwmni. Cerdd Dant a barddoni, dyna oedd ei fyd, a chyn diwedd ei oes fe gyhoeddwyd cyfrol o'i waith a chafodd ei anrhydeddu gan Orsedd y Beirdd. Mi fyddai wrth ei fodd yn trafod ei delyneg ddiweddaraf ar gyfer rhyw 'steddfod neu'i gilydd, neu'n sôn am osodiad Cerdd Dant newydd y byddai o a'i wraig, Telynores y Foel, wedi'i gwblhau . . .'

Yr Athro Derec Llwyd Morgan a olygodd y gyfrol *Cerddi J.W.* (1983). Yn ei ragair y mae'n portreadu J.W. i'r dim: 'Un o bennaf eisteddfodwyr Cymru' y galwyd ef wrth iddo gael ei dderbyn yng Ngorsedd y Beirdd ym Margoed, Cwm Rhymni, 1990.

Fe ddygodd yr englyn hwn i'm cof gyfraniad arbennig J.W. Cofiais amdano yn canu 'Am achub hen rebel fel fi' yn Eisteddfod Nadolig Rhos Cefn Hir, Ynys Môn. Wrth ei glywed yn canu, sylwais ar ei droed yn taro'r curiad ar y llwyfan, ac edmygais ef. Rhyfeddais ato am fod ei galon yn y Pethe. Un o hanfodion yr englyn effeithiol uchod ydi ei gynildeb cryno diwastraff, englyn sy'n gadael i ddychymyg y darllenydd ymateb yn greadigol i'r ddelwedd a gynigir.

Ar y darlleniad cyntaf fe welaf J.W. y gweithiwr ar lonydd ardal Llannerch-y-medd a'r eisteddfodwr yn ei throi hi yn ôl am Erw'r Delyn, Llannerch-y-medd, yn oriau mân y bore o'r Talwrn, Llandegfan, Llanddeusant, Marian Glas ac Eisteddfod Môn. O ddarllen rhwng y llinellau fe welir J.W. y capelwr ffyddlon a fu'n codi canu yng nghapel Jeriwsalem, Llannerch-y-medd am dros ddeugain mlynedd.

Gwyddai J.W. yn union beth a gredai. Yn yr englyn hwn eto mae'r symbol o lôn yn amlwg; un o nodweddion cerddi Iwan Llwyd yw'r defnydd a wneir o lôn fel delwedd a symbol, hewl gefn y ffordd adre' yn dirwyn tua thre'.

48.

Henaint

'Henaint ni ddaw ei hunan'; – daw ag och
    Gydag ef a chwynfan,
    Ac anhunedd maith weithian,
    A huno maith yn y man.

Fore dydd Mawrth, Gorffennaf 26, 2005, rhaid oedd i mi ymweld â Mynwent Eglwys Santes Mair, Llanfairpwllgwyngyll, Ynys Môn, y fynwent ar lan y Fenai. Dau brif reswm am yr ymweliad oedd chwilio am feddau fy nheulu ac oedi wrth fedd Syr John Morris-Jones (1864-1929), yr ysgolhaig, y bardd a'r beirniad. Ef wrth gwrs ydi awdur yr englyn adnabyddus uchod. Wrth ei gofio am yr englyn, a'i delyneg 'Cwyn y Gwynt', cofiais fod ei englyn coffa i'w nai, Einion Morris Jones, Bodlondeb, Llanfair-pwll, wedi ei dorri ar garreg fedd y teulu. Euthum i chwilio am y bedd a chefais hyd iddo. Arno ceir y geiriau hyn: 'Er serchog gof am Einion Morris Jones, annwyl blentyn W.R. a J. E. Jones, Bodlondeb, Llanfair PG. ganwyd 5 Gorff. 1903; hunodd 12 Chwefror 1905'. A dyma'r englyn:

> Ai Einion mewn gwirionedd – a roddir
> Heddiw yn y dyfnfedd?
> Oer wyf ac nid yw ryfedd
> A'm nai bach yma'n y bedd.

Roedd W. R. Jones (1866-1946) yn frawd i Syr John Morris-Jones.

Meddai Alan Llwyd yn *Blodeugerdd o Farddoniaeth Gymraeg yr Ugeinfed Ganrif* (1987) am yr englyn: 'Cyfaddasiad o'r ddihareb Gymraeg, 'Ni ddaw henaint ei hunan', yw'r llinell gyntaf. Gellid cymharu'r englyn ag englyn Ellis Owen, Cefn-y-meusydd (1789-1868), y cyntaf yn y gyfres 'Englynion i Ffon a anfonodd Griffith Jones, Ysw., Glyn Lledr, i Ellis Owen, Cefn y Meusydd, 1856'.' Cyhoeddwyd y gyfres yn *Cell Meudwy* gan ei gyfaill Robert Isaac Jones (Alltud Eifion, 1815-1905) yn Nhremadog ym 1877, a hwn ydi'r englyn y cyfeirir ato:

> 'Henaint ni ddaw ei hunan', – yn dilyn
> Mae'i deulu anniddan;
> Y war grom mal gŵyr gryman,
> A mil o gamau mân, mân.

Yn ôl Syr Thomas Parry, Syr John Morris-Jones oedd y chwalwr a'r adeiladwr mwyaf ar ein hiaith a'n llên. Gwelir ffrwyth ei waith yn gosod y safonau mewn dau lyfr: *A Welsh Grammar* (1913) a *Cerdd Dafod* (1925). Yn ystod y bedwaredd ganrif ar bymtheg yr oedd beirdd Cymraeg wedi colli'r ffordd a chafodd un o wŷr mawr Môn hyd iddi.

49.

Mis Mai

Hen fuwch y borfa uchel – heb aerwy
A bawr heddiw'n dawel,
A dail Mai fel diliau mêl
Wedi rhoswellt y rhesel.

Yn lolfa cartref T. Arfon Williams a'i deulu yn Heol Don, Yr Eglwysnewydd, Caerdydd, y clywais yr englyn hwn gyntaf. Alan Llwyd a'i llefarodd oherwydd yr oedd newydd ei feirniadu yn ei Golofn Farddol yn *Y Cymro*, diwedd Mai/dechrau Mehefin 1976. Englyn gafaelgar gan J. Ieuan Jones (1924-2003), Talsarnau, Gwynedd, ydi hwn, englyn yn llifo o galon un a fu'n gweini ffarmwrs, yn tyddynna, ac am bymtheng mlynedd olaf ei oes, yn trin tir ei filltir sgwâr yn Nhy'n y Coed, Dyffryn Ardudwy. Dim ond tyddynnwr sylwgar a allai ganu englyn fel hwn. Oni chlywir y fuwch yn pori ynddo?

Yn y cyflwyniad i gerddi Ieuan Jones, *Cyfres Beirdd Bro 4* (1976), mae Alan Llwyd yn dadansoddi'r englyn urddasol uchod: 'Ni cheir yr un gair llanw yn yr englyn; y mae pob ansoddair yn ffitio i'w le'n daclus, pob gair yn cydweithio â gweddill y geiriau yn berffaith. Y mae 'heb aerwy' yn awgrymu rhyddid lle bu caethiwed y gaeaf, a'r ansoddair 'tawel' yn awgrymu dedwyddwch ar ôl cyffro anniddigrwydd y tymor hirlwm. Ceir cyferbyniad twt ac effeithiol wedyn rhwng 'diliau mêl' a 'rhoswellt'. Y mae'n ddiddordol sylwi mai 'hen fuwch' sydd yma hefyd, a'r awgrym yw fod Mai yn dod â chyffro ieuenctid yn ôl wrth iddo adnewyddu a ffrwythloni'r ddaear o'r newydd'.

Addysgwyd J. Ieuan Jones yn ysgol gynradd Talsarnau ger Harlech, a bu'n llwyddiannus yn y *scholarship*. O ganlyniad cafodd le yn Ysgol Ramadeg Y Bermo a bu yno am dair blynedd cyn i salwch ei daro.

Wrth ddarllen gwaith J. Ieuan Jones ar gyfer y llyfr hwn a darllen am ei fywyd yr un pryd, deëllais fod chwe englynwr wedi derbyn eu haddysg uwch yn Y Bermo. Bu'r bardd Harri Gwynn (1913-1985) yn ddisgybl yno hefyd. A gafodd hud-a-lledrith y fro afael ynddynt? 'Dyma fro Branwen, Rhiannon a Bendigeidfran ein llên, a chlywir yma o hyd braffiaith Edmwnd Prys, Ellis Wynne a'r Doctor Tecwyn Evans ar dafod ei thrigolion. Nid oes hafal i'r fro . . .' meddai J. Ieuan Jones. Yn ei waith llwyddodd y bardd gwlad hwn i gyfleu'r profiad o fyw yn y fro, ac mae blas ei phridd ar ei englynion.

50.

Pistyll

Bu nain, a bu nain honno – â'i phiser
   Hen ffasiwn odano;
   Er rhoi fel hyn er cyn co'
Rhed ataf yn rhad eto.

'Wrth i ni heneiddio, mae tuedd ynom i anwesu atgofion,' meddai Monallt wrth drafod 'Fy Hoff Englyn' yn rhifyn Rhagfyr 1979 o *Barddas*. 'Mae'n wir bod bendithion lawer wedi dod inni yn yr oes dechnegol hon; ond ar adegau daw rhyw bwl o hiraeth arnom am y bywyd tawel a ddisgrifir yn yr englyn hwn . . . Tybed a ydym wedi mynd i fyw yn rhy bell oddi wrth natur – methu â chlustfeinio, nes colli serennedd y bywyd hamddenol iach'.

William Roberts, Gwilym Ceiri, ydi awdur yr englyn adnabyddus hwn. Meddai nodyn bywgraffyddol *Awen Arfon* amdano: 'Chwarelwr ac englynwr tan gamp. Brodor o Drefor, wrth droed yr Eifl, ac yno y bu fyw ar hyd ei oes. Fe'i ganed yn 1881 ac ar lenydda y rhoes lawer o'i fryd. Y mae amryw o'i englynion ar gof a chadw yn yr ardal. Gŵr diwylliedig sy'n gynnyrch teg o'r gymdeithas lengar sydd ohoni yn y parthau yna. Enillodd William Roberts aml gadair o dan feirniadaeth gŵr craff fel Robert Williams Parry'.

Ysgrifennodd Gwilym Ceiri lawer o englynion ond yn hwn yr ymfalchïai fwyaf. Roedd yn delynegwr da hefyd. 'William Roberts yw'r telynegwr naturiol gorau y gwn i amdano,' oedd sylw R. Williams Parry. Darllenais dro yn ôl bennod 'Y Cyfaill' gan T. W. Thomas yn y gyfrol *Dŵr o Ffynnon Felin Fach* (Golygydd: Ifor Rees) a gyhoeddwyd ym 1995 – cyfrol i ddathlu canmlwyddiant geni Cynan. Ynddi mae'n dweud mai cynnyrch gwaith cartref dosbarth nos Cynan yn Y Ffôr oedd yr englyn, ar y testun 'Ffynnon'. Flynyddoedd ynghynt yn y cylchgrawn *Lleufer*, Hydref 1962, roedd Cynan wedi ysgrifennu ysgrif 'Dechrau Barddoni', ac meddai yng nghorff yr ysgrif: 'Meddyliwch am yr ias a gefais yno un noswaith pan ddaeth chwarelwr, William Roberts, ag englyn fel hwn ataf ar destun a osodais yr wythnos flaenorol, sef: 'Pistyll y Pentref' . . . Dyna ddarganfod mewn hynafgwr *rodd*, *dawn*, *awen* bardd, a lifai mor loywlan â'r pistyll ei hun'. Ond meddai Valmai Roberts, merch y bardd, mewn llythyr yn *Barddas*, Chwefror 1980, wrth ymateb i erthygl fer, 'William Roberts, Awdur englyn 'Y Pistyll'', wrth droed 'Fy Hoff Englyn' gan Monallt: 'Nid cynnyrch dosbarth cynganeddu gan Cynan yn Nhrefor oedd yr englyn gan fod hwnnw wedi'i sgrifennu a'i gyhoeddi mor bell yn ôl â'r flwyddyn 1925, yn *Y Cymru Coch*'.

Cyhoeddwyd yr englyn ar dudalen 63, *Cymru*, Chwefror 1925, a'i linell olaf yn darllen fel hyn: 'Rhed atom yn rhad eto'.

Dros y blynyddoedd ymddangosodd yr englyn adnabyddus hwn mewn sawl cyhoeddiad.

51.

Ci Lladd Defaid

Pen annwyl yn fy nwylo – am anwes
A minnau'n ei fwytho
Yn dyner heb weld yno
Waed oen yn ei lygad o.

Gan fy mod i yn wladwr o ran anian a magwraeth, mae englynion
sy'n dwyn i go' fywyd cefn gwlad yn apelio'n fawr ataf. Pan ddar-
llenais yr englyn hwn gyntaf crisialodd i mi y ddihareb 'Gwyn y gwêl
y frân ei chyw', ac yn sydyn cofiais am John Williams, prif gymeriad
Gŵr Pen y Bryn, nofel sylweddol y Parchedig E. Tegla Davies. Oni
cheir yn yr englyn bortread cynnes o ffarmwr neu fugail yn eistedd yn
ei hoff gadair ar derfyn dydd yn y briws ac yn anwesu ei hoff gi defaid?
Mae'r gynghanedd Lusg yn y llinell agoriadol yn disgrifio i'r dim y
weithred araf o fwytho ci. Un o dasgau'r Ymryson yn Eisteddfod
Genedlaethol Yr Wyddgrug oedd englyn yn cynnwys y llinell 'Ni ŵyr
neb pa awr o'r nos'. Ci lladd defaid oedd thema englyn Elwyn
Edwards, Y Bala:

Ni ŵyr neb pa awr o'r nos – y rhodia
Ar ei rawd ddiaros
Hyd hen gefnen gaeafnos
A chri oen yn cochi'r rhos.

Rhys Dafis, mab fferm o Lansannan ym Mro Hiraethog, ydi awdur
yr englyn gafaelgar hwn. Magwyd ef mewn ardal lle'r oedd traddod-
iad Cerdd Dafod a Cherdd Dant yn gryf. Fe'i haddysgwyd yn Ysgol
Gynradd Llansannan ac Ysgol Uwchradd Emrys ap Iwan. Wedi gadael
yr ysgol bu'n gweithio fel tirfesurydd gyda chwmni yn Y Rhyl. Am
gyfnod o dair blynedd rhwng 1976 a 1979 bu'n fyfyriwr mewn Coleg
Adeilwaith yn Lerpwl. Ar ôl graddio dychwelodd i'r Rhyl. Ym 1982

symudodd i weithio fel Cyfarwyddwr Cymdeithas Tai Dyffryn Teifi yng ngwaelodion Ceredigion. Yma cafodd fro wrth fodd ei galon ddiwylliedig, cymdeithas y beirdd a chorau meibion. Ymhen chwe blynedd symudodd i gyffiniau Caerdydd gan weithio i Dai Cymru a Bwrdd yr Iaith. Bellach mae'n ymgynghorydd cynllunio ieithyddol annibynnol. Yr yr ardal hon bwriodd iddi i fyd y Pethe gan gynnal ysgol farddol ym mro Gwaelod y Garth. Mae'n ymrysona gyda Morgannwg yn Ymryson y Genedlaethol. Mae hefyd wedi bod yn aelod o dîm Talwrn y Beirdd mewn ardaloedd yng Ngogledd Cymru, Ceredigion a De Cymru. Elwodd Llansannan, Ffostrasol ac Aber Hafren o'i allu fel englynwr ac athro beirdd. Tra oedd yn aelod o Bwyllgor Gwaith Barddas bu'n flaenllaw iawn yn cael trefn ar yr Ymryson yn y Genedlaethol ac fe'i gosododd ar seiliau cadarn.

52.

Bob Owen, Croesor

Hwn a ddaw at goed Awen – a'i nerfau
  Yn gynhyrfus lawen;
  Mae rhwyg llym ym mrigau llên
  Lle bu bwyell Bob Owen.

Awdur yr englyn cofiadwy hwn ydi John Henry Roberts, sef Monallt (1900-1991), bardd gwlad, yn ôl *Cydymdaith i Lenyddiaeth Cymru*, a oedd yn 'gynganeddwr cywrain a syber iawn, ac y mae llawer o'i gwpledi a'i englynion yn fythgofiadwy fyw ar gof caredigion llên a barddoniaeth'.

Mae esgyll yr englyn uchod, sydd ar garreg fedd Bob Owen (1885-1962) ym Mynwent Newydd, Llanfrothen, Penrhyndeudraeth, Gwynedd, yn rhyfeddod, ac i lawer o lên-garwyr mae ymhlith pethau godidocaf y canu caeth ymhob oes.

Yn *Awen Meirion*, Cyfres Barddoniaeth y Siroedd (1961), ceir englyn arall i Bob Owen, Croesor, gan Monallt:

I goluddion mwyngloddiau – turia hwn
　　I gael tras ein teidiau;
　　Chwilia fedd bonedd y bau
　　A chwâl lwch i hel achau.

Roedd Monallt yn gyfaill i Bob Owen, yr hanesydd, y llyfrbryf a'r achyddwr. Yn *Portread o Fardd-gwlad: Monallt* gan Emrys Roberts, mab Monallt, ceir portread cynnes o'u cyfeillgarwch.

Rwy'n dal i gofio beth a ddywedodd Cynan, un o feirniaid yr awdl, 'Yr Ardd', yn Eisteddfod Môn, Bodffordd a'r Cylch, 1967, am awdl fuddugol Monallt. 'Fe welodd y bardd gwych hwn ddigon o destun cân mewn gardd heb geisio'i throi yn ddrych o rywbeth arall, a'r gamp yw ei fod wedi llwyddo i'n dwyn ninnau i weld hynny hefyd. Ar silff fy holl lyfrau y mae ar hyn o bryd dair o ganeuon gardd y byddaf yn troi atynt am eu cyfaredd yn ddigon mynych a'u cael mor ffres â gwin newydd bob tro . . . '

Mae Cynan yn enwi'r tair cerdd, dwy Saesneg ac un Gymraeg. Awduron y ddwy gyntaf ydi Andrew Marvell a T. E. Brown; Goronwy Owen ydi'r awdur arall – ei gywydd yn gwahodd William Parry o'r Mint yn Llundain draw i Northolt ato i fwynhau rhyfeddodau'i ardd. I gloi ei sylwadau dywedodd Cynan y byddai yn gosod awdl afieithus Monallt ar ei silff. Bardd a wnaeth gryn argraff ar lawer o bobl y Pethe oedd Monallt. Deil ei englynion i afael yn rhywun.

R.E.

Dyled un wrth sawdl ei dad – yw 'nyled;
    Calon pob ysgogiad;
    R.E. oedd fy ymroddiad,
    R.E. yw 'nyfalbarhad.

Clywyd Myrddin am Dafydd, awdur yr englyn angerddol hwn, yn llefaru'r englyn yng nghyfarfod teyrnged Barddas i R. E. Jones, Llanrwst, yn y Babell Lên, Dyffryn Conwy, 1989. 'R.E. – dyma'r enw mwyaf cyfarwydd. A thu ôl i'r enw yr oedd gŵr o ddoniau anghyffredin iawn, personoliaeth hoffus a chymeriad tryloyw,' meddai'r portread ohono yn *Y Faner* flynyddoedd yn ôl. Pan holodd *Barddas* Myrddin ap Dafydd, ym mis Medi 1990, gofynnwyd iddo sut y bu i'r gymdeithas leol o feirdd yn ei filltir sgwâr yn Llanrwst ddylanwadu arno. 'Ond 'does dim gwell na chriw o'r un anian yn eich cynefin – maen nhw'n nabod yr un wynebau, yr un coed. Yr un ydi'n deunydd ni. Bu R. E. Jones Llanrwst yn gefn mawr i mi pan oeddwn yn iau a heddiw mae cwmni'r criw sy'n ymryson yn lleol yn hwyl ac yn ysgogiad,' oedd ei ateb.

Wrth weithio'i englyn cyfarch teimlodd yr englynwr y diolch i'w athro barddol yn ei galon yn gyntaf. Canlyniad hyn oedd iddo ryddhau'r hyn a deimlai'r Babell Lên yn ei chalon. Oni chododd y gynulleidfa fel un pan ddaeth R.E. i mewn iddi yn ei gadair olwyn cyn dechrau'r cyfarfod. Bu raid newid dyddiad y cyfarfod teyrnged o ddydd Llun i'r prynhawn dydd Mercher, er mwyn i aelodau Côr yr Eisteddfod fod yn bresennol. Roeddynt wedi bygwth cefnu ar yr ymarfer ar brynhawn dydd Llun er mwyn cael bod yn y cyfarfod teyrnged i R.E. Er pan enillodd Myrddin ap Dafydd gadair Eisteddfod Genedlaethol yr Urdd, Y Rhyl, 1974, a chystadleuaeth y mis am ei englyn 'Cenllysg' yng Ngholofn Farddol Alan Llwyd yn *Y Cymro* – a fu'n rhedeg o Ragfyr 1973 hyd fis Medi 1977 – bu disgwyl mawr am ei weld yn datblygu'n fardd o bwys. Digwyddodd hynny yn Eistedd-fodau Cenedlaethol 1988, 1989 a 1990. Yng Nghasnewydd cyfarchodd Gwilym R. Jones, Dinbych, yn y cyfarfod teyrnged iddo. Ei dasg yn Ymryson y Beirdd yn yr un Eisteddfod oedd llunio englyn i gyfarch y Prifardd Elwyn Edwards, a oedd wedi ennill y Gadair am ei awdl goffa i'w fam ar y testun 'Storm':

> Wedi i wae'r storom dorri, – wedi i'r mellt
> Daro 'mysg y deri,
> Wedi dwyn d'un annwyl di
> Y mae hedd yma iddi.

Yn Llanrwst 1989, cyfarch R.E., ac yng Nghwm Rhymni 1990, ennill ei Gadair Genedlaethol gyntaf gyda'i awdl afieithus 'Gwyth-iennau'.

54.

Beddargraff Tad a Mab

> Yr eiddilaidd ir ddeilen – a syrthiodd
> Yn swrth i'r ddaearen,
> Yna y gwynt, hyrddwynt hen,
> Ergydiodd ar y goeden.

Mae'r englyn adnabyddus hwn i'w weld ar fedd ym mynwent Llanycil, Y Bala. Mae wedi ei dorri ar garreg fedd: 'Er cof am David/ maban Philip a Grace Jones/o'r Bala/a fu farw Mawrth, 1818 yn 2 fl oed/Hefyd am Philip Jones/a fu farw Hydref 19 1853 yn 74 ml oed./Ac am/Grace Jones a fu farw Mehefin/1858 yn 80 ml oed'.

Dafliad carreg oddi wrth y bedd mae bedd awdur yr englyn uchod: 'Also of the above named John Phillips, who departed of this life May 28th 1877 aged 67 years./Dyma orweddfan y talentog Tegidon'.

Gofynnodd R. Williams Parry i Gwilym R. Jones yn ystod sgwrs mewn caffi yn Lerpwl pa beth a wyddai am Tegidon (John Phillips, 1810-1877), yr englynwr o'r Bala. 'Fawr ddim,' atebodd Gwilym R. 'Fe ddylai fod genti gryn ddiddordeb ynddo,' atebodd Bardd yr Haf. 'Bu yn y byd golygyddol ac yn argraffwr tua chanol y ganrif ddwytha. Fo sgrifennodd 'Hen Feibl mawr fy mam'. . . ond nid dyna pam rydw i'n 'i enwi fo, ond am mai fo, yn fy marn i, ydi cyfansoddwr yr englyn gorau yn yr iaith Gymraeg'. Dyfynnodd yr uchod. Yn ei erthygl 'Fy Hoff Englyn', *Barddas*, Chwefror 1977, y mae Gwilym R. yn dwyn i go' y seiat uchod. Mae ef hefyd yn dadansoddi'r englyn:

Englyn delweddog, os bu englyn delweddog erioed, a chysylltiad ingol-iasol rhwng y tair delwedd sydd ynddo – yr 'ir ddeilen' (y mab), y 'goeden' (y tad) a'r 'hyrddwynt hen' (a fu gwell darlun o'r angau?). Y mae camp ar ansoddeiriau Tegidon yn yr englyn hwn: 'eiddilaf', 'ir', 'swrth' a 'hen'. Y mae cannoedd o feirdd wedi defnyddio'r ansoddair 'hen' mewn englynion a cherddi eraill ac erbyn hyn aeth yn ystrydebol ond nid oedd cymaint o lawer o draul wedi bod arno pan ddefnyddiwyd o gan Tegidon, ac onid yw yn ei glensio am byth yn ei gysylltiad yma â'r hyrddwynt mwyaf difaol sy'n bod. Y mae yn yr englyn hefyd homer o ferf: 'ergydiodd'.

Byth er pan gynhaliwyd y seiat fach honno rhwng y mwyaf o'n beirdd a minnau, yr englyn hwn gan y bardd-argraffydd o Benllyn yw fy ffefryn innau hefyd.

Fisoedd yn ddiweddarach, *Barddas* Gorffennaf/Awst 1977, dewiswyd yr un englyn gan y Prifardd Tom Parri Jones, yntau wedi cael seiat yng nghwmni R. Williams Parry.

Y fersiwn sy' ar y garreg fedd yn Llanycil a ddefnyddiais i. Ym Mlodeugerdd Rhydychen Thomas Parry, *Y Flodeugerdd Englynion* Alan Llwyd ac yn erthygl Mathonwy Hughes, 'Gwerthfawrogi'r Englyn', *Barddas*, Chwefror 1984, mae'r llinell olaf yn darllen: 'Ergydiai ar y goeden'.

Fersiwn Llanycil a ddefnyddiodd Gwilym R. a Tom Parri Jones.

Wrth Glywed am Farw Enid Wyn Jones

Rhwng dŵr a'r eangderau – lle nad oes
Llain o dir na beddau,
Dringo wnei di, yr Angau –
Y Diawl, a gwahanu dau.

Bu farw Mrs Enid Wyn Jones mewn awyren a hithau'n eistedd yn ymyl ei gŵr, sef Emyr Wyn Feddyg, a fu'n Dderwydd Gweinyddol Gorsedd y Beirdd o 1967 hyd 1987. Y Prifardd Geraint Bowen, a fu'n Archdderwydd Cymru o 1978 hyd 1981, pryd yr ataliwyd y Gadair ddwywaith (1978 a 1979), ydi awdur yr englyn angerddol hwn. Drwy ei gysylltiad â Gorsedd y Beirdd roedd ef yn adnabod Mrs Enid Wyn Jones. Mynegodd yr englynwr yn yr englyn hwn brofiad pawb ohonnom. Sawl gwaith dan ein gwynt yr ydym ni wedi rhegi'r Angau? Ni ellir ei ffrwyno. Mae cynghanedd seml y bedwaredd linell yn afaelgar, ond – 'Nid y gynghanedd ynddi ei hun sydd yn ein gwefreiddio; grymuso'r gwefreiddio yw ei swyddogaeth hi,' meddai Geraint Bowen wrth feirniadu'r awdlau yn yr Eisteddfod Genedlaethol ym 1965.

Mae o wedi cadw at ei ddaliadau yn ei gerddi. Bardd sydd yn llefaru yn yr englyn uchod nid areithiwr na rhigymwr na chynganeddwr. Enillodd Geraint Bowen y Gadair yn Eisteddfod Genedlaethol Aberpennar ym 1946 am ei awdl 'Awdl o Foliant i'r Amaethwr', awdl sy'n cael ei hystyried yn un o glasuron y canu caeth. Yn Aberpennar gofynnwyd am awdl heb fod dros 250 llinell. Gweithiodd Geraint Bowen awdl afaelgar mewn 160 o linellau. Ers y flwyddyn honno ystyrir ef gan bawb yn ddieithriad yn un o feistri mawr y mesurau cynganeddol traddodiadol.

'Condemniodd [Euros Bowen] ei frawd Geraint Bowen unwaith (ar lafar) am lynu wrth fesur mor ganoloesol o dreuliedig ac mor gwbl amherthnasol i'n hoes ni â'r englyn, heb sylweddoli mai gwell awen fyw o fewn ffrâm draddodiadol . . . nag awen farw o fewn ffrâm arbrofol a mwy gwreiddiol,' meddai Alan Llwyd yn ei gyfrol *Barddoniaeth y Chwedegau*.

Nid y mesur sy'n gwneud y bardd ond, yn hytrach, athrylith unigol sy'n gallu grymuso cerdd. Drwy'r englyn a'r cywydd y gwnaeth Geraint Bowen ei gyfraniad clasurol, fel y dengys yr englyn uchod a'i ddau englyn delweddol 'Er Cof am Geraint Edwards, Llanuwchllyn':

> A welwch chi'r griafolen – eiddil
> Wrth Dyddynyronnen?
> Gwaed a fu ar y goeden,
> I'w phridd yr aeth dail ei phren.

56.

Hen Ewythr

> Gwybu groes a gwybu graith, – gwybu hwyl,
> Gwybu helynt eilwaith;
> Gwybu dirf fywyd hirfaith
> A gwybu'n deg ben y daith.

Ddiwedd mis Mai 1973 derbyniais lythyr oddi wrth y Prifardd W. D. Williams, Twyni, Y Bermo bryd hynny, yn rhoi cefndir yr englyn uchod i mi. Mae'n rhaid fod W. D. Williams wedi sôn am yr englyn yn ei sgwrs i gynulleidfa Ymryson y Beirdd yn Hwlffordd, 1972, pan oedd yr ymrysonwyr allan yn 'stafell fach cefn llwyfan y Babell Lên, i danio fy niddordeb ynddo. Eglurodd yn ei lythyr:

> . . . Yn *Y Brython* (papur Lerpwl) tua'r flwyddyn 1924 y gwelais yr englyn i'r hen ewythr y soniwch amdano. Ni chlywais neb arall yn sôn amdano, ond trawodd fi fel englyn aeddfed

o waith llanc ifanc (gwyddwn hynny gan ei ddyfod i Fangor tua diwedd fy nghyfnod i; cydoesai â Dr Thomas Parry a Dr John Gwilym Jones yno).

Daeth yn weinidog i Gorwen pan oeddwn i yn ysgolfeistr Carrog gerllaw. Tarewais ar H.R. ar y stryd yn amlwg ar ei ffordd i'r capel. Gofynnais iddo "Wyt ti'n mynd i'r seiat Huw?" "Ydw," atebodd, "ond petaet ti'n gofyn i mi – a oes awydd am seiat – mater arall fuasai hynny." Enghraifft o'i gynganeddu slic a chyflym . . .

Y Parchedig Huw Roberts, B.A. (1901-1973) ydi awdur yr englyn gafaelgar uchod, brodor o Bootle, Lerpwl, a godwyd i'r weinidogaeth yng Nghapel Stanley Road, Bootle, gyda'r Presbyteriaid. Ordeiniwyd ef ym 1930. Bu'n weinidog yn Llanllyfni, Gwynedd, 1930-1934, wedyn symudodd i Gorwen lle bu hyd 1940. Pan ymddiswyddodd o'r weinidogaeth ar fater o egwyddor, symudodd i fyw i Fethesda. Bu'n gweithio fel clerc o dan Bwyllgor Addysg Môn ac fel llyfrgellydd dinas Bangor. Dychwelodd i'r weinidogaeth ym 1951 a bu mewn dwy ofalaeth ym Môn cyn symud i Lanfihangel Glyn Myfyr a Llangwm ym 1956. Ym 1960 ymddeolodd a mynd i fyw i Bontrhythallt, Caernarfon. O Ebrill 11, 1961, hyd Dachwedd 1965 bu'n olygydd *Y Goleuad*. Yna aeth i fyw i Ddinmael. Ym Mangor y treuliodd y tair blynedd olaf o'i oes.

Lladdwyd ei frawd yn y Rhyfel Mawr a 'doedd wiw crybwyll enw'r Parchedig Ddr John Williams, Brynsiencyn, yn ei glyw. O un o'i gyfarfodydd recriwtio ef yr aeth ei frawd i'r rhyfel. Fel y dywedodd Thomas Parry yn ei deyrnged iddo, a gyhoeddwyd yn *Amryw Bethau* (1996): 'Yn ddiweddarach ar ei oes bu'n cymryd rhan yn effeith-iol iawn mewn ymrysonau beirdd ar y radio'. Bardd achlysurol ydoedd, ac fel y dywedodd y Parchedig William Morris yn *Y Goleuad*, Gorffennaf, 1963, wrth gyflwyno ei gywydd coffa i'w gyfaill John Jones (Dyfan, 1885-1963), Rhos Cefn Hir, Ynys Môn, fy nghyn-athro Ysgol Sul, trueni na fuasai Huw Roberts wedi cyhoeddi mwy. Ond gŵr oedd ef a gâi 'bleser pur mewn llunio llinellau o gynghanedd a rhoi cywydd ac englyn wrth ei gilydd, pleser gŵr gwâr a diwylliedig a oedd yn ymhyfrydu yn niwylliant ei wlad,' yn ôl teyrnged Thomas Parry.

57.

Neuadd Goffa Mynytho

Adeiladwyd gan Dlodi, – nid cerrig
Ond cariad yw'r meini;
Cyd-ernes yw'r coed arni,
Cyd-ddyheu a'i cododd hi.

Agorwyd Neuadd Goffa enwog Mynytho yn swyddogol ar Dachwedd 30, 1935. Gan fod awdur yr englyn yn cadw dosbarth nos ffyniannus ym Mynytho ar y pryd fe'i gwahoddwyd i'r cyfarfod. Gwrthododd ef yn bendant addo siarad ond derbyniodd y gwahoddiad. Yn y cyfarfod eisteddodd R. Williams Parry yng nghefn y llwyfan 'gymaint ag a allai o'r golwg'. 'Yn ystod y cyfarfod gofynnodd y llywydd, y diweddar Mr D. Caradog Evans, Pwllheli, i Williams Parry ddweud gair. Yn hynod ddiymhongar daeth ymlaen a dywedodd nad oedd ganddo ddim i'w ddweud ond ei fod wedi gwneud englyn bach i'r neuadd,' meddai Charles Jones, Mynytho, a oedd yn aelod o ddosbarth R. Williams Parry, yn y cylchgrawn *Llafar*, Haf 1956.

Mae'r englyn hwn yn englyn lleol a ddaeth yn un cenedlaethol. 'Yr englyn oedd ei gyfraniad ef at lafur cariad yr adeiladu. Yn ddiweddarach torrwyd yr englyn ar lechen ar dalcen y neuadd – yn gwbwl briodol: yr oedd yn rhan ohoni,' meddai Bedwyr Lewis Jones yn *R. Williams Parry* yn y gyfres Dawn Dweud (1997). Rhoddodd yr englyn manwl hwn mewn iaith ddewisol hwb seicolegol i aelodau'r gymdeithas wledig Gymraeg, nid pleser llenyddol yn unig.

Mae mymryn o gysgod wedi'i fwrw erbyn hyn dros yr englyn hwn, a thros y llinell agoriadol yn benodol. Ym 1901 cyhoeddodd Gwaenfab

(Robert Roberts, 1850-1933), y ceir ei hanes yn *Blodeugerdd Penllyn*, gyfrol o'i farddoniaeth, *Blaguron Awen*. Mewn cywydd yn y gyfrol ceir y llinell 'Adeiladodd drwy dlodi'. Ymhen chwarter canrif testun yr englyn yn Eisteddfod Genedlaethol Abertawe, 1926, oedd 'Tŷ To Gwellt'. Ymysg yr englynion a oedd wrth fodd y beirniad, R. Williams Parry, a oedd yn cydfeirniadu'r gystadleuaeth â'r Parchedig J. T. Job, yr oedd englyn *Hen Ŵr*. 'Medd rhai gypledau hapus,' meddai R. Williams Parry, gan ddyfynnu cwpled *Hen Ŵr* yn eu plith:

> Tŷ di-nod ein tadau ni
> Adeiladwyd i dlodi.

Naw mlynedd yn ddiweddarach gweithiodd Robert Williams Parry englyn i gyfarch Neuadd Mynytho a'r llinell agoriadol ydi 'Adeiladwyd gan Dlodi'. Benthyciad pwrpasol neu un damweiniol?

Yn ôl Derwyn Jones

> Bardd i feirdd uwchlaw beirdd fu,
> Rhodd fawr i feirdd yfory . . .

oedd Robert Williams Parry.

Marwolaeth Dau Frawd a Chwaer

Marwolaeth Mair a Wili – a Rhisiart
   Wna i reswm dewi,
   Ond ffydd ddichon fodloni
   A gweld trefn mewn galw tri.

Yn ei draethawd buddugol yn Eisteddfod Gadeiriol Mynytho, 1972, sef 'gwerthfawrogiad o'r chwe englyn gorau y gŵyr amdanynt a rhoi rhesymau dros y dewis', mae'r diweddar R. W. Jones, Chwilog, yn trafod yr englyn uchod: 'Ym mynwent enciliedig Tai Duon yn Eifionydd y mae englyn o waith arch-englynwr arall, sef y diweddar J. Roger Owen, Bwlchderwin, Pant-glas, ar feddfaen tri o blant Nant Cwmbrân, Pantglas, a fu farw o fewn ychydig amser i'w gilydd . . . Englyn godidog yw hwn a gyfrifir yn un o geinion yr iaith. Gyda llaw, dywedir bod dros ddeg ar hugain o englynion o'i waith ar feddfeini'r fynwent hon!'

Yn ôl *Y Flodeugerdd Englynion*, rhyw ugain o'i englynion sy'n y fynwent, hynny yw, â'i enw danynt. Ar ôl darllen arysgrifau cerrig coffa Capel Tai Duon, Pantglas, Clynnog Fawr, a gyhoeddwyd gan Gymdeithas Hanes Teuluoedd Gwynedd, 1986, nodais mai pedwar englyn ar hugain a oedd yn dwyn enw J. Roger Owen. Roedd tri deg pedwar englyn yn anhysbys. Gellir dweud bod amryw ohonynt yn arddangos nodweddion yr englynwr gwlad uchod.

Ar y garreg fedd y ceir yr englyn uchod arni, ceir y geiriau hyn: 'Er serchog gof am/annwyl blant Owen a Mary Williams/Nant Cwmbran, Pantglas./William O. Williams/Hunodd Hydref 27 1918/yn 23 mlwydd oed/Richie/Hunodd Hydref 24 1922/yn 21 mlwydd oed/Mary/Hunodd Tachwedd 14 1924 yn 28 mlwydd oed'.

'Does dim carreg fedd ar fedd Owen Williams, Nant Cwm-brân.

Gweithiodd J. Roger Owen (1872-1960) englyn i gofio 'am Robert Jarvis Hughes, Gors y Wlad, Clynnog. A hunodd Ebrill 15 1948 yn 20 mlwydd oed'. Mae'r englyn ar y garreg fedd ym mynwent Tai Duon:

Gŵr ifanc, mae'n dasg ryfedd – ei roddi
   I'r briddell i orwedd;
   I'r da, nid hyn yw'r diwedd;
   I ti, Bob, llety yw bedd.

Bu ei englyn 'Y Lôn Goed' hefyd ar gof gwlad yn Eifionydd:

Hen lôn wael yw hon weli – a ffiniau
   Anorffennol iddi;
   Ond is ei dail hardd, dos di
   A theg Eifion fyth gofi.

Yn *Y Cymro*, Mawrth 10, 1960, dan y pennawd 'Cynghorwr Bro a Chynganeddwr Da', ceir adroddiad am farw J. Roger Owen, Y Bryn, Bwlchderwin, yn 88 oed. Bu'n ŵr da i'w ardal ar hyd ei oes. Bu'n gynghorydd Dosbarth Gwyrfai ac am gyfnod bu ar Gyngor Sir Arfon. Bu'n flaenor yng Nghapel Bwlchderwin am 68 o flynyddoedd ac yn ysgrifennydd y capel. Bu'n amaethu ac yn gwerthu blawd yn y Gyfelog, Bwlchderwin, am flynyddoedd maith.

Ychwanegwyd: 'Dysgodd J. Roger Owen y cynganeddion yn ieuanc o lyfr Dafydd Morganwg. Yn ddiweddarach cafodd lawer o gwmni Cenin, cynganeddwr llithrig arall. Arferai Cenin ac yntau aros ar eu traed drwy'r nos reit aml 'i gyboli efo'r cynganeddion' a sleifio adref yn y bore bach cyn i neb yn y gymdogaeth godi. Un ar bymtheg oed a disgybl yn Ysgol Botwnnog oedd Mr Owen pan enillodd ei wobr gyntaf am englyn'.

Claddwyd ef ym meddrod y teulu ym mynwent Tai Duon. Ni thorrwyd enw awdur yr englyn coffa iddo ar y garreg fedd:

Iddo rhoed dawn prydyddu, – selog oedd
   Sul a gŵyl i'n dysgu;
   Helpodd arall heb ballu,
   Mae bwlch yn y Bwlch lle bu.

59.

Clod y Cledd

Celfyddyd o hyd mewn hedd – aed yn uwch
O dan nawdd tangnefedd;
Segurdod yw clod y cledd
A'i rwd yw ei anrhydedd.

Sawl gwaith mewn diwrnod, tybed, y dyfynnir esgyll yr englyn hwn? Ceir yma epigram o esgyll sy' ymhlith y rhai mwyaf adnabyddus yn yr iaith Gymraeg. Datganiad sy' mor wir heddiw ag erioed. Pa bryd y daw'r ddynoliaeth i sylweddoli ystyr tangnefedd? Gair sy'n rhy gry' i'n dyddiau ni. Yn ein gwendid ein cryfder ydi codi'r cleddyf.

Emrys, y Parchedig William Ambrose (1813-1873), Porthmadog, ydi awdur yr englyn. Wrth ddarllen hanes y brodor hwn o Fangor sylweddolais nifer o bethau amdano. Yn gyntaf roedd yn gefnder i'r cerddor John Ambrose Lloyd (1815-1874), Yr Wyddgrug, tad Emrys yn frawd i fam y cerddor. Dychwelodd o Lundain ym 1836 gyda'r bwriad o agor busnes yn Lerpwl. Tra oedd yn Llundain yr oedd wedi dechrau pregethu a barddoni. Yn y cyfamser, fodd bynnag, aeth yn gydymaith i William Williams, Caledfryn (1801-1869), a oedd yn weinidog yng Nghaernarfon ar y pryd, ar daith bregethu drwy Lŷn ac Eifionydd. Pregethodd Emrys ym Mhorthmadog a chymaint oedd ei ddylanwad fel y bu iddo dderbyn gwahoddiad i gymryd gofal eglwys yno am flwyddyn. Derbyniodd yr alwad, ac ar ddiwedd 1837 urddwyd ef yn weinidog i'r eglwys. Bu yno hyd ei farw, Hydref 31, 1873. Fel yr englyn uchod mae ei emyn 'Gorffwysfaoedd Llonydd'– sy'n agor â'r llinell 'Arglwydd gad im dawel orffwys', wedi ennill ei le yn ein llenyddiaeth. Mae tri emyn arall o'i eiddo yn *Caneuon Ffydd*.

Gan fod addysg yn digwydd o fedydd hyd fedd, dysgais i Syr Thomas Parry ei restru ymhlith yr un bardd ar bymtheg o feirdd amlycaf yr Eisteddfod yn y bedwaredd ganrif ar bymtheg. Fe'i cofir yn bennaf yn y maes hwn mewn cysylltiad ag Awdl 'Y Greadigaeth' yn

Eisteddfod Aberffraw, 1849. Anghytunodd y tri beirniad â'i gilydd. Daliai un mai awdl Nicander oedd yr orau tra oedd Eben Fardd o blaid Emrys, a'r trydydd, Joseph Jones, o blaid bardd arall. Newidiodd ef ei farn a chytuno â'r beirniad cyntaf. Cadeiriwyd Nicander, ficer Amlwch, gan i ddau eglwyswr osod ei awdl yn uwch na'r awdl gan weinidog anghydffurfiol. Mawr fu'r trafod yn dilyn yr Eisteddfod honno.

60.

Y Nos

Y nos dywell yn distewi, – caddug
    Yn cuddio Eryri,
Yr haul yng ngwely'r heli
A'r lloer yn ariannu'r lli.

Englyn natur a'r cread ydi hwn. 'Ceir yr englyn enwog hwn yn awdl Gwallter Mechain (Walter Davies, 1761-1849) ar 'Gwymp Llywelyn', awdl a enillodd i'r bardd y cwpan arian yn Eisteddfod Caernarfon yn y flwyddyn 1821, ar un o'r testunau a roddwyd i ganu arno gan Gymdeithas y Gwyneddigion,' eglurodd Alan Llwyd yn *Y Flodeugerdd Englynion*.

Rhestrir Gwallter Mechain fel un o'r hen bersoniaid llengar yn y bedwaredd ganrif ar bymtheg. Roedd ef, fel Thomas Price (Carnhuanawc, 1787-1848), Thomas Burgess, Esgob Tyddewi (1756-1837) ac eraill, ymysg y rhai a wnaeth ddiwrnod da o waith dros yr Eisteddfod a'r math o lenyddiaeth a gynhyrchid ganddi. Gellir ei ddisgrifio fel arch-gystadleuwr; roedd gan yr Eisteddfod afael anghyffredin arno ar hyd ei oes a phrawf pendant o hynny oedd iddo gystadlu o fewn chwe mis i'w farw, yn 88 oed, ar awdl 'Y Greadigaeth' ar gyfer Eisteddfod gecrus Aberffraw, 1849.

Ganwyd Walter Davies yn Llanfechain, Trefaldwyn. Fe'i prentis-iwyd yn gowper a bu wrth y gwaith am ymron i ddeunaw mlynedd cyn mynd i dderbyn addysg yn Rhydychen. Ym 1795 aeth yn gurad i Feifod, ac oddi yno i Ysbyty Ifan. Ym 1803 cafodd fywoliaeth Llan-wyddelan. Ymhen pedair blynedd yr oedd yn ficer Manafan – bu R. S. Thomas yn gwasanaethu yn y plwyf hwn o 1942 hyd 1954. Symudodd i Feifod ym 1837 i blwy Llanrhaeadr-ym-Mochnant a bu yno hyd ei farw ym 1849. Un o'i ragflaenwyr oedd yr Esgob William Morgan.

Wrth gloi ei sgwrs radio ar 'Yr Offeiriad Llengar' dros ddeugain mlynedd yn ôl, sgwrs a atgynhyrchwyd yn *Gwŷr Llên y Bedwaredd Ganrif ar Bymtheg*, a olygwyd gan Dyfnallt Morgan (1968), dywedodd Bedwyr Lewis Jones: '. . . offeiriaid llengar y bedwaredd ganrif ar bymtheg, y gwŷr a gynhaliodd y diddordeb mewn hynafiaethau Cymraeg yn hanner cyntaf y ganrif. 'Yr offeiriaid hyn,' yng ngeiriau'r Dr R. T. Jenkins, sy'n pontio rhwng Morusiaid Môn a Gwyneddigion Llundain ar y naill law ac ysgolheictod Rhydychen a Phrifysgol Cymru yn ein hoes ni'. A dyfynnu pennill digon cyffredin Dafydd R. Jones, Wisconsin'.

A dyma'r pennill hwnnw:

> A chwarae teg i'r Person:
> Trwy lawer cyfnod du
> Bu ef yn gefn a noddwr cryf
> Llenyddiaeth Cymru Fu;
> A phan orlanwodd crefydd
> Deimladol Gymru i gyd
> Parhaodd ef yn noddwr dysg
> A rheswm dyn o hyd.

Crist gerbron Peilat

Dros fai nas haeddai, mae'n syn – ei weled
Yn nwylo Rhufeinddyn;
A'i brofi gan wael bryfyn
A barnu Duw gerbron dyn.

Galwodd yr Athro W. J. Gruffydd (1881-1954) awdur yr englyn crefyddol hwn 'yn esiampl o'r gwir aristocrat mewn llên'. Roedd Robert Williams (Robert ap Gwilym Ddu, 1766-1850), Betws Fawr, plwyf Llanystumdwy, Gwynedd, yn amaethwr cefnog eang ei ddiddordebau; gŵr gwybodus ac annibynnol ei farn. Addolai yng Nghapel y Beirdd, ac yno meddai'r diweddar Gruffudd Parry yn *Crwydro Llŷn ac Eifionydd* (1960) 'y gwelodd . . . y gwrthrychau a'r sylweddau a droes yn gyfryngau mynegi profiad yn ei ganu'. Bardd crefyddol oedd ef yn bennaf, a'i brofiadau crefyddol a'i symbylodd ef amlaf i ganu.

Wrth ei gofio cofir am dri pheth yn ei gylch. Yr englyn uchod yn gyntaf. Ysgrifennodd englynion cofiadwy ac mae nifer ohonynt yn emau pur. Maent hefyd yn rhai cwbl glasurol eu hysbryd – 'Pob llinell yn sefyll ar ysgwyddau'r un o'i blaen nes cyrraedd uchafbwynt yn yr olaf,' meddai Thomas Parry. Rhestrodd yr englyn uchod fel enghraifft, er bod y bai Trwm ac Ysgafn yn odl y llinell gyntaf a'r llinell olaf.

Yn ail, mae tri emyn o'i eiddo wedi eu cynnwys yn *Caneuon Ffydd*. Dywedodd yr Athro Stephen J. Williams, Abertawe, am ei emynau: 'Yn ei emynau cyfunodd ef grynoder y canu caeth ac asbri telynegol emynwyr y ddeunawfed ganrif'.

Yn drydydd, ei awdl goffa i'w ferch Jane Elizabeth Williams, plentyn ei henaint, a fu farw yn 17 oed ym 1834. Yn yr awdl mae'n traethu galar personol â holl urddas crefft y gynghanedd heb ymollwng i sentiment arwynebol. Mae'r awdl yn un o alarnadau dwysaf ein hiaith ac ynddi y mae'r englyn cofiadwy:

Ymholais, crwydrais mewn cri; – och alar!
  Hir chwiliais amdani;
  Chwilio'r celloedd oedd eiddi
  A chwilio heb ei chael hi.

62.

Er Cof am Sarah Ellena Jones
(1906-1981)

Aeth eilun ar daith elor – a'n heulwen
  O aelwyd y Cilfor;
  Hyd angau buost angor
  A gem hardd ar graig y môr!

Englyn coffa i'w wraig gan y Capten Jac Alun Jones (1908-1982)
ydi'r englyn dirdynnol hwn, englyn a aeth â'm hanadl pan ddarllenais
ef gyntaf ar y cerdyn cydnabod gair o gydymdeimlad. O tua 1925 tan
ei ymddeoliad ym 1975 morwr fu Jac Alun Jones.

'Daeth Jac Alun o'r diwedd adref at ei annwyl Ellena a fu'n dad ac
yn fam i'r pedwarawd [eu tri mab a'u merch] a ddaeth yn addurn
i'r teulu; dod adref i fwrw'r angor – a'i llyncu, yn y Cilfor, Llan-
grannog . . .' cofnododd ei gefnder, y Parchedig Gerallt Jones, Caer-
wedros (1907-1984) yn y gyfrol *Y Capten Jac Alun*, a olygwyd ganddo
(1984).

Y Capten Jac Alun Jones a Mrs Jones, Cilfor, oedd y teulu cyntaf i'm
croesawu ar eu haelwyd ar wahân i'm teulu-yng-nghyfraith pan
ddechreuodd fy nghysylltiad ag ardal Llangrannog ar ddechrau
chwedegau'r ganrif ddiwethaf. Ef felly oedd y cyntaf o fois y Cilie i mi
ddod wyneb yn wyneb ag ef. Yr haf hwnnw roedd gartref o'r môr
ar 'leave'. Roeddwn yn gwybod amdano ef a'i deulu mawr ers yr
Eisteddfod Genedlaethol yng Nghaernarfon, 1959. Yn yr Eisteddfod

honno enillodd T. Llew Jones, ei frawd-yng-nghyfraith, ei ail Gadair. Testun y cywydd oedd 'Y Bae' a'r enillydd oedd Alun Cilie, ei ewythr – brawd ieuengaf ei fam, Esther. Y Capten Jac Alun Jones a enillodd gystadleuaeth yr englyn allan o 285 o englynion ar y testun 'Y Ffon Wen'. Ef, felly, yn dilyn yn ôl troed ei ewythr Alun, a enillodd ym 1949, a'i frawd-yng-nghyfraith, T. Llew Jones, a enillodd y flwyddyn ddilynol.

Bu farw'r Capten Jac Alun Jones ym mis Awst 1982 o dorcalon. Yn ei drydydd englyn o dri englyn coffa iddo fe ddaliodd Dic Jones ei gymeriad:

> Ei iach gyfarch a gofiaf, – a'i 'Helô'
> Ar y lein tra byddaf,
> Ac i'r nos, cario a wnaf
> Lwyth ei 'Hwyl' y waith olaf.

Un o gymeriadau mwyaf lliwgar ardal Llangrannog oedd yr englynwr cadarn, y Capten Jac Alun Jones, un a gafodd flas mawr ar gystadlu ar hyd ei oes ac a weithiodd englyn coffa cofiadwy iawn i'w wraig – ei englyn gorau yn bendant.

63.

Glas y Dorlan

> Rhyfeddais, sefais yn syn – i'w wylio
> Rhwng yr helyg melyn;
> Yna'r lliw yn croesi'r llyn;
> Oedais, ond ni ddaeth wedyn.

Awdur yr englyn hwn ydi Trebor E. Roberts (1913-1985), gweinidog Capel Coffa Emrys (William Ambrose), Porthmadog, o 1946 hyd at 1979. Yno y treuliodd ei holl yrfa fel gweinidog.

Mae hwn yn gampwaith o englyn gan fardd traddodiadol iawn ond bardd a roddodd ei stamp telynegol personol ar ei gerddi. Englyn dramatig ydi'r englyn iasol o ddarluniadol sy'n tynnu'r darllenydd i oedi gyda'r englynwr ar lan yr afon. Mae syndod y gweld wedi ei fynegi yn gofiadwy. Fel y dywedodd Mathonwy Hughes, Dinbych, yn ei erthygl 'Gwerthfawrogi'r Englyn', *Barddas*, Chwefror 1984: 'Onid yw'r gair 'lliw' yn dweud y cwbl? Yn aml dyfynnaf y llinell olaf i fynegi fy mhrofiad o golli cyfle. Englyn cofiadwy gan feistr ar y mesurau caeth'.

Yn ei gyflwyniad i unig gyfrol o farddoniaeth Trebor E. Roberts, *Glas y Dorlan . . . a Mymryn Mwy* (1987), a olygwyd gan R. E. Jones, talodd y Parchedig W. Rhys Nicholas deyrnged nodedig i'w gyfaill. Wrth drafod ei gerddi, gan nodi i rai ohonynt gael eu cyhoeddi yn *Awen Arfon* ac yn *Blodeugerdd Penllyn*, gan mai brodor o'r Parc ger Y Bala oedd Trebor Roberts, mae'n dweud: '. . . y mae saernïaeth y cyfan yn nodedig; roedd yn wir artist wrth drin geiriau a gwyddai sut i lunio llinellau a fyddai'n canu yn y cof'.

O ganlyniad i hyn yr oedd wedi ennill amryw o wobrau yn yr Eisteddfod Genedlaethol ac yn yr Ŵyl Gerdd Dant. Ei gamp fwyaf yn y Genedlaethol mae'n siŵr oedd ennill ar y cywydd i Dryweryn yng Nghaerdydd, 1960.

Mae ei englyn 'Craith' yn un gafaelgar:

Hynoted yw ei natur, – yn rhoi clo
   Wedi'r clwyf a'r gwewyr;
Ond er cau a mynd o'r cur
Hir y deil lle bu'r dolur.

Mae rhai o'i epigramau yn taro deuddeg, yn enwedig:

Gwynnach y llaw sy'n gweini
Na gwên lloer, nag ewyn lli.

A beth am hwn?

Gwae efô a gofia wall
Yn hir yn rhywun arall.

Mae testun yr englyn hwn, 'Glas y Dorlan', yn dwyn i gof englyn
gan J. T. Jones, Porthmadog, awdur yr englyn gafaelgar 'Y Llwybr
Troed', i'r un aderyn:

O finion y ffrwd i fyny – yn fflwch
    Y fflachiodd ei geinblu,
    Ac i'r dorlan diflannu,
    Dlysed ond fyrred a fu.

64.

Llys Ifor Hael

Llys Ifor Hael, gwael yw'r gwedd – yn garnau
    Mewn gwerni mae'n gorwedd;
    Drain ac ysgall mall a'i medd,
    Mieri lle bu mawredd.

Mae adfeilion Llys Ifor Hael, Gwern y Clepa, yn y coed ryw filltir
o bentref Basaleg, Casnewydd. Cyfnod Ifor Hael oedd 1310-1380. Ifor
ap Llywelyn o Fasaleg oedd prif noddwr Dafydd ap Gwilym. Ar ôl
ceisio agor ysgol yn Aberystwyth, ond heb lwyddiant, dywedir i
awdur y gyfres o bedwar englyn i Lys Ifor Hael, Evan Evans (Ieuan
Fardd, 1731-1788), wasanaethu fel curad ym Masaleg am ychydig
amser tua 1780. Yr uchod, y cyntaf yn y gyfres, ydi'r mwyaf adnab-
yddus. Mae ei esgyll yn rhan o eirfa'r genedl mwyach.
    Yn yr englynion adnabyddus mae'r ysgolhaig o fardd yng nghysgod
yr hen adfail yn myfyrio am a fu, yn mynegi hiraeth am y gorffennol

ac yn traethu ar gynghanedd 'â holl ymatal cain y ddeunawfed ganrif ar ei gorau,' sylwodd Syr Thomas Parry.

Roedd Ieuan Fardd neu Ieuan Brydydd Hir, fel y llysenwid ef gan ei gyfoeswyr, yn aelod o Gylch y Morrisiaid, y cylch a osododd sylfeini dysg Gymreig yn ddiogel ddigon mewn hanes a llenyddiaeth. Yn ôl un beirniad llenyddol, roedd Ieuan Fardd ben ac ysgwydd uwchlaw pawb arall o'i oes o ran gwybodaeth a dealltwriaeth o'r hen farddoniaeth ddyrys.

Ni bu llawer o drefn ar ei fywyd. Er iddo gael ei urddo yn offeiriad ym 1755 ni chafodd ei ddyrchafu'n uwch na churad o ran y gorchwylion a gyflawnai. Yn ôl Aneirin Lewis yn *Y Bywgraffiadur Cymreig*: 'Gellir dal ei fod ef ei hun i raddau'n gyfrifol na chafodd gefnogaeth, oherwydd ar hyd ei oes dioddefai oddi wrth wendid a oedd yn gyffredin iawn yn y 18fed g., sef ei fod yn rhy hoff o'r ddiod. Parodd hyn iddo golli ymddiriedaeth pobl a allai fod o gynhorthwy iddo, a diau mai'r un gwendid a fu'n rhwystr iddo gael dyrchafiad yn yr Eglwys'.

Drwy ei fywyd bu wrthi yn ddyfal yn casglu a chopïo llawysgrifau'n ymwneud â hanes a llenyddiaeth Cymru. Ym 1787 gwerthodd ei lawysgrifau i Paul Panton, bargyfreithiwr a hynafiaethydd, Plasgwyn, Pentraeth, Ynys Môn, plasty dafliad carreg o'm cartref a phlasty lle bu fy mam yn gweithio ar ddiwedd dauddegau'r ganrif ddiwethaf. Gwnaethpwyd defnydd helaeth ohonynt gan olygyddion *The Myvyrian Archaiology* (1801-1807). Bu Gweirydd ap Rhys (1807-1889) hefyd yn pori ynddynt ar gyfer ei gyfrol *Hanes Llenyddiaeth Gymreig, 1300-1650*. Mae'r llawysgrifau, Panton MSS, yn y Llyfrgell Genedlaethol.

Y Pabi Coch

Ifanc yn nrama'r cofio, – dwfn ei wrid,
  Dyfnha'r ing lle byddo;
  Y mae barn Ypres arno,
  A dafn o waed o'i fewn o.

Yr englynwr disgybledig o Fachynlleth, Ithel Rowlands, ydi awdur yr englyn uchod, englyn sy'n dwyn i go' wallgofrwydd y Rhyfel Mawr. Wrth brynu'r pabi coch bob mis Tachwedd mae'r englyn hwn, sy'n crynhoi meddyliau dyn, yn dwyn i go' y cwpled gan Gwilym R. Jones sy' ar garreg fedd ym Mynwent Tai Duon, Eifionydd, sy'n coffáu mab Bryn Celyn, Tal-y-sarn, Dyffryn Nantlle, R. Glyn Roberts, a fu farw o'i glwyfau yn Ffrainc ym 1944 yn 29 oed:

  Rhywfodd o'i anfodd yr aeth – i dyrfus
  Bladurfa'i genedlaeth . . .

A fu gwell disgrifiad o ryfel erioed na'r gair 'pladurfa'? Mae'r pabi yn datgan nad ydi gwaed y bladurfa wedi ceulo o gwbl. Mae Ithel Rowlands yn un o Feirdd y Tyrpeg, Capel Celyn, nythiad o feirdd sy'n haeddu mwy o sylw nag y maent wedi ei gael.

'Fel ei dad, R. T. Rowlands, Y Fron-goch, ei ewythr a brawd ei dad, Ifan Rowlands y Gist Faen, a'i gefnder, R. J. Rowlands, Y Bala, a'i nai, y Prifardd Elwyn Edwards, bu Ithel Rowlands yn ymhél â barddoni yn gyson drwy'r blynyddoedd,' meddir ym mroliant ei gyfrol *Siwrnai* (1999). Yn y portread ohono yn *Y Faner Newydd*, rhifyn 34, 2005, dywedir amdano: 'Bu llawer o ganmol ar ei englynion a'i gerddi i fyd natur ac mae rhai wedi eu cynnwys mewn blodeugerddi. Mae'n sylwebydd craff ac effro i'r byd o'i amgylch . . .'

Mae ei gyfrol *Siwrnai* yn dangos ei ddawn fel epigramwr. Mae'r epigram hwn yn afaelgar:

A ry' ei fryd ar y frân
A gyll liw'r Asgell Arian.

Mae ei englyn 'Coch y Berllan' yn rhoi golwg newydd i ni ar yr aderyn ac yn dangos nad ydyw byth yn gollwng dim o'i law heb fyfyrio yn ei gylch:

Y tewddyn bach, wyt lachar, – yn wychlym
   Wyt y machlud lliwgar:
Rhaid mai trwm fu swm dy siâr
Yn nos Sadwrn y seidar.

Canodd englynion coffa teilwng hefyd. Canodd dri i goffáu ei frawd-yng-nghyfraith, Bob Edwards, Y Fron-goch, Y Bala. Mae'r cyntaf wedi dal y golled:

Ein haelwyd wedi'i chwalu, – a'i hawen
   Yn ei briw'n cwynfannu:
Ust, mae'r deall, mae'r gallu?
Mor ddistaw yw taw y tŷ.

Defnyddiaf esgyll y trydydd i grynhoi awen radlon Ithel:

Cronni dafnau dagrau dyn
A haul ei haf hirfelyn.

66.

Hiraeth am Gymru

Megis y llin yn mygu – yn araf
Yw'r hiraeth am Gymru;
Tywodyn o Gwmtydu
Yn hollt y rhwyf ydwyf fi.

John Tydu Jones (1883-1947), pumed plentyn a phedwerydd mab y Cilie, Blaencelyn, Ceredigion, ydi awdur yr englyn dirdynnol hwn. Fel y gwelir o ddarllen ei englyn, roedd yn feistr llwyr ar y mesur fel pob un o'i frodyr ond un – chwe englynwr cydnabyddedig o'r un aelwyd!

Ymfudodd John Tydu i Ganada ym 1904. Dim ond unwaith y dychwelodd i Geredigion a hynny yn ystod haf 1921. Dychwelodd i'w wlad fabwysiedig ar Fedi 2, 1921. Bu farw yno ar Awst 14, 1947, yn hen alltud hiraethus mewn gwlad bell. A oes englynwr wedi canu yn fwy angerddol am ei fro enedigol? Yn ei englynion a'i lythyrau byrlymai poen ac ing ei hiraeth di-ball am Foel Gilie a'r cyffiniau. Mae'r englyn adnabyddus uchod a'i englyn 'Hiraeth' mor naturiol â dau ddyn yn sgwrsio:

Hiraethaf am haf Mehefin – draw draw
Dros y tonnau gerwin,
Yr hen foel a'r hen felin
Mor braf a'r gofid mor brin.

Mewn llythyr unwaith mynegodd yr hiraeth a oedd mor drwm arno: '. . . Yn aml gwnaf hedfan ar edyn atgof yn ôl i'r hen fangre, treuliaf eto oriau hamddenol ar Ben-y-Foel yna yn tremio allan dros y bae i gyfeiriad gwlad machlud haul; gwelaf y gwylanod yn llithro ar adenydd gwynion a gloywon ar eu taith i Barc y Bariwns a Pharc Llain; yr awyr yn las a'r awel yn fwyn a chariadus'.

Mewn fersiwn arall o'r englyn 'Hiraeth am Gymru', ceir 'yr awron' yn lle 'yn araf' yn y llinell gyntaf.

67.

Brys

I beth y rhuthrwn drwy'r byd? – Gwirion yw
  Gyrru'n wyllt drwy fywyd;
Daw blino brysio ryw bryd
A daw sefyll disyfyd.

Englyn sy'n mynegi gwirionedd a doethineb ydi'r englyn grymus hwn gan y Parchedig O. M. Lloyd (1910-1980), Dolgellau a Chaernarfon. Ynddo mynegir mor syml y gwirionedd tragwyddol; rhyfeddaf at uniongyrchedd diwastraff y mynegiant ynddo.

Mae'r Prifardd Gerallt Lloyd Owen yn *Ynglŷn â Chrefft Englyna* (1981), a olygwyd gan T. Arfon Williams, yn trafod yr englyn uchod:

I gyfleu cyflymder, ni ellir rhagori ar y Draws Fantach. Ystyriwch yr englyn adnabyddus hwn o waith y diweddar O. M. Lloyd . . . Mae'r Draws Fantach bob amser yn eich gorfodi i gyflymu ar ôl yr Orffwysfa (yn enwedig os daw honno ar y sillaf gyntaf) er mwyn cyrraedd y gyfatebiaeth yn y pen arall cyn gynted ag y bo modd. Y mae hynny'n addas iawn yn llinell gyntaf yr englyn hwn. Sylwer ar y Groes chwyrn a chyflym yn y cyrch a'r ail linell, y Sain wedyn yn y drydedd linell yn cyfleu'r arafu anarfod, a'r Groes gyda'i dau drawiad trwm, pendant yn dwysáu'r diwedd. Nid ar ddamwain y cyflawnir peth felyna, ond trwy wrando arnoch eich hun yn creu . . .

Yn ei deyrnged i'w gyfaill O. M. Lloyd, dywedodd R. E. Jones, Llanrwst: 'Gŵr annwyl a roesai wasanaeth gwiw i'w genedl mewn mwy nag un maes am lawer blwyddyn'. Un maes y bu'n amlwg iawn ynddo oedd Ymryson y Beirdd yn y Genedlaethol. Am flynyddoedd bu'n ymrysona dros Feirionnydd cyn cael ei ddyrchafu i sedd y Meuryn: 'A Meuryn o gymeriad' y galwodd Ymrysonwyr Talgarreg ef. Meurynodd am y tro olaf yn y Genedlaethol yng Nghaerdydd, 1978. Ar orchymyn ei feddyg ni fu wrth y gwaith yng Nghaernarfon, 1979, ond cadwodd mewn cysylltiad â'r Babell Lên drwy fy mhenodi i yn negesydd iddo! Yr unig gyfarfod a gafodd yn y Babell Lên y flwyddyn honno oedd cadeirio'r Cyfarfod Teyrnged i'w gyfaill W. D. Williams. Mynnodd ddod.

Cyhoeddwyd *Barddoniaeth O. M. Lloyd* gan Gyhoeddiadau Barddas ym 1981, wedi ei golygu gan Alan Llwyd. Ar ddechrau'r gyfrol cyhoeddwyd deuddeg englyn coffa iddo gan wahanol englynwyr a dwy gerdd goffa. Dyma'r englyn cyntaf o bedwar gan John Penry Jones, Y Foel, Maldwyn:

Anghofir gwŷr anghyfiaith – i'n hawen;
   Ni fydd byw eu hafiaith;
Aeth rhyw dorf i ddieithr daith
Ond O.M. nid â ymaith.

68.

Nyth

Ni fu saer na'i fesuriad – yn rhoi graen
   Ar ei grefft a'i drwsiad,
Dim ond adar mewn cariad
Yn gwneud tŷ heb ganiatâd.

Y Parchedig Roger Jones (1903-1982), y bardd rhagorol a'r englynwr campus o Lŷn, a gysylltir ym myd llên a chrefydd â Thal-y-bont,

Ceredigion, a luniodd yr englyn adnabyddus hwn. Ym myd englyna cysylltir ef â chystadleuaeth yr englyn yn Eisteddfod Genedlaethol Y Bala, 1967, pan ataliwyd y wobr am englyn ar y testun 'Draenen'. Roger Jones oedd yr agosaf at ennill. Ar y Sulgwyn y flwyddyn flaenorol enillodd wobr yn Eisteddfod Pantyfedwen, Pontrhydfendigaid, am ei englyn 'Nyth'. Meddai yn *Ynglŷn â Chrefft Englyna*:

Bu amryw yn fy holi pa fodd y lluniais englyn 'Y Nyth' . . . Bûm yn pendroni'n hir uwchben y testun hwn; testun da, ond un peryglus gan y gellid llunio englyn da i ddisgrifio'r nyth, – a hwnnw'n ddim ond disgrifiad noeth diweledigaeth. Yr oeddwn wedi llunio tri neu bedwar o englynion disgrifiadol, arwynebol i'r nyth, ac yn sicr yn fy meddwl na ddeuai yr un ohonynt yn agos i'r hyn a ddisgwylid.

Er eu bod yn ddi-fai o ran crefft, rhaid oedd wrth fyfyrdod dwysach o lawer, oblegid gwyddwn fod englyn gwell i'w gael pe byddai'n dod. Ac wedi hir ymboeni am wythnosau, fe ddaeth, a hynny'n sydyn iawn. Ffrwyth dyfalbarhau a hir ymdrech, er hynny, yw yr englyn hwn.

Gwelais y pictiwr – tŷ aderyn, a hwnnw'n ei adeiladu heb help neb, na gofyn am hawl na chaniatâd chwaith, a daeth y llinell gyntaf, –

Ni fu saer na'i fesuriad

i fod. Yna, ymlaen i weld crefft gywrain yr adeiladydd, a pherchennog y tŷ:

Yn rhoi graen ar ei grefft a'i drwsiad

Petruso peth gyda'r llinell gyntaf. Dywedodd un beirniad wrthyf mai eisiau cynghanedd gref oedd arnaf, ac y byddai 'Ni fu saer a'i fesuriad' wedi gwneud y tro. Ond yr hyn oedd gennyf yn fy meddwl oedd, na fu neb yno'n tynnu allan y plan o'r tŷ.

Dau aderyn bach mewn cariad yn unig oedd eisiau i adeiladu'r tŷ hwn, yn gartref clyd i godi teulu.

Yn oes yr awdurdodau sy'n arglwyddiaethu arnom ni, yn dewis lle ein tai, yn mesur eu hyd a'u lled, â'u gair yn ddeddf, hyfryd yw meddwl am yr aderyn bach yn ei ryddid i ddewis ei le ac i adeiladu ei dŷ yn ôl ei reddf a'i batrwm ei hun, heb ofyn dim i neb.

> Dim ond adar mewn cariad
> Yn gwneud tŷ heb ganiatâd.

Gwelais yr englyn hwn wedi hir chwilio amdano, ond clywais ef o fewn chwarter awr. Y syniad fel pe'n dyheu am gael ei wisgo mewn mynegiant.

Ystyriaf y drydedd linell fel yr anwylaf o'r holl gynganeddion Llusg a luniwyd.

Gweithiodd y Parchedig D. Gwyn Evans, a fu'n cyd-weinidogaethu ag ef am rai blynyddoedd yn Nhal-y-bont, englyn coffa i Roger Jones:

> Gŵr i Dduw a llengar ddyn – ag awen
>   I'w gywydd a'i emyn;
>   Heddwch i'r llwch yng ngwlad Llŷn –
>   Ni chladd angladd mo'i englyn.

Tywod

Er garwed ydyw'r geiriau – a waeddais
　　yn ei gŵydd, caf innau
ryw wên dyner yn donnau
yn llifo'n ôl i'w llyfnhau.

Meistr ar y grefft o lunio englyn ydi awdur yr englyn delweddol cry'
hwn, Tudur Dylan Jones, Caerfyrddin. Wrth drafod 'Y Môr', awdl
fuddugol gyntaf y bardd, Eisteddfod Genedlaethol Bro Colwyn, 1995,
dywedodd T. Gwynn Jones, Abergwaun: 'Un o'r pethau sy'n syfrdanu
dyn gyda gwaith Dylan yw rhwyddineb a gloywder ei gynganeddu . . .
mae bron bopeth a wna yn darllen fel stori – a dyna sy'n yr awdl, sef
stori garu rhwng dau berson . . .' Mae'r englyn hwn yn dwyn yr awdl
gain ei gwedd honno i'r cof. Stori fer o englyn, dau wedi ffraeo ac wedi
rhegi ei gilydd ac mewn eiliad â'r gwaed yn oeri daw'r ddau i ailddeall
ei gilydd. Y wên fer yn tynnu'r colyn o'r geiriau; ton fer o wên yn
llyfnhau'r traeth. Er mor syml yw'r englyn ar yr wyneb, mae dyfnder
ynddo. Mae'r englyn yn cyflwyno natur bywyd.

O fras edrych ar gerddi Tudur Dylan Jones, synhwyrir fod y môr yn
ei gyffroi. Mae ganddo nifer o gerddi gafaelgar â'r môr yn gefndir
iddynt. Ar wahân i'w awdl fuddugol ceir y môr yn ei gywydd cyfarch
i Dylan Iorwerth; 'Gweld Bangor o Fiwmares'; 'Ar Graig uwchben
Llangrannog' a'i englyn arall i 'Tywod', englyn am Graig yr Enwau
yng Nghwm Tydu a ddaeth yn gyd-fuddugol â'r uchod yng nghystad-
leuaeth yr englyn yn *Barddas*. Mae ei englyn 'Afon Menai' yn dweud
llawer wrth Fonwysyn alltud:

Ddoe'n ôl, roedd y dyddiau'n hwy – i un bach
　　oedd ar bwys ei drothwy,
ac ar draeth ger Porthaethwy
roedd o'n llai a'r Fenai'n fwy.

Ers yr Eisteddfod Genedlaethol ym Meifod, 2003, mae Tudur Dylan Jones wedi ennill ei blwy fel Meuryn Ymryson y Beirdd yn y Babell Lên. Ers 1974, pryd y dechreuais gofnodi cynhyrchion yr Ymryson i *Faner* Gwilym R. a Mathonwy, Dylan yw'r pumed Meuryn. Mae yn olyniaeth O. M. Lloyd a W. D. Williams wrth ei benelin, Gerallt Lloyd Owen; T. Llew Jones, y daeth ei yrfa fel Meuryn i ben ym 1982, a John Gwilym Jones, a feurynodd ym 1989 a 2001. Y Meuryn cyntaf, wrth gwrs, oedd y Prifardd Meuryn (R. J. Rowlands). O'i gymharu â'r meurynod uchod ychydig iawn iawn o'i farddoniaeth sydd ar go' llêngarwyr, dim ond cwpled neu ddau o'i awdl fuddugol 'Min y Môr', Caernarfon, 1921, er enghraifft:

> Gwelais long ar y glas li
> Yn y gwyll yn ymgolli . . .

Yn *Y Genhinen*, Gwanwyn 1952, ceir englyn i'r Iaith Gymraeg gan *M*. Tybed ai Meuryn ydi'r awdur. Wedi'r cyfan, yr oedd yn gydolygydd ar y cylchgrawn:

> Er ei sisial ers oesau – ac er llach
> Gwŷr y llys ar 'sgwyddau,
> Ein pêr iaith sydd yn parhau
> Yn fiwsig ar wefusau.

Y Ci Defaid

Ei gabol ddysg a'i wybod – yn awr hel
  Y praidd sy'n rhyfeddod;
Lle'u llechu a ŵyr, lle lluwch ôd,
  Hebddo ef ni bydd hafod.

Testun cystadleuaeth yr englyn yn Eisteddfod Genedlaethol Pen-y-bont ar Ogwr ym 1948 oedd 'Y Ci Defaid'. A oedd yna fugail yn eistedd ar Bwyllgor Llenyddiaeth yr Eisteddfod Genedlaethol y flwyddyn honno? 'Corlan' oedd testun y cywydd. Beirniad yr englyn oedd y Parchedig S. B. Jones, Peniel, a oedd hefyd yn un o feirniaid yr awdl, ac roedd ef yn gyfarwydd â defaid!

Awdur yr englyn uchod ydi Evan George Jones (1892-1953), degfed plentyn y Cilie, Blaencelyn – a'r pumed mab. Allan o'r saith mab roedd chwech ohonynt yn englynwyr cydnabyddedig. Roedd yr englyn hwn yn un o 218 o englynion a dderbyniwyd ar gyfer y gystadleuaeth. Anfonodd Siors y Cilie dri englyn i'r gystadleuaeth dan y ffugenw *Trei* 1, 2 a 3. Gosodwyd englyn 2 a 3 yn y trydydd dosbarth allan o bump dosbarth, dosbarth y rhai gweddol a oedd yn cynnwys ambell linell neu gymal da. Meddai Simon B. Jones yn ei feirniadaeth: 'Dewisais ddwsin o'r rhai gorau i'w hargraffu ar ddiwedd y feirniadaeth hon, ac ymddangosant i mi fel *cyfres* o rai da yn bennaf oll, ac nid hawdd oedd dewis y gorau o'u plith . . .'

Yn eu plith yr oedd *Trei* 1: 'Paladr da iawn ar wahân i sydynrwydd y gair 'cabol'. Gellid gwella'r drydedd linell a lliniaru tipyn ar ei sŵn 'ellechaidd'. Defnyddiau englyn gwych,' meddai'r beirniad amdano. Mae'r llinell olaf yn un gofiadwy.

Rwy'n cytuno â T. Llew Jones fod englyn Siors yn well na'r un buddugol. Ychwanegodd: 'Ei frawd S. B. Jones oedd yn beirniadu'r englyn ym Mhen-y-bont ar Ogwr. Dewis creulon oedd hwnnw gan fod ei frodyr a'i berthnasau am gystadlu ar bwnc mor agos at eu calonnau. Y gorchwyl cyntaf i S.B. oedd ceisio dod o hyd i englynion ei frodyr a'u gwthio nhw i lawr i'r ail ddosbarth. Ond ofnai wedyn fod un neu ddau o'r rheiny wedi dod i'r brig ar waetha' popeth'. Ac yn ôl T. Llew Jones, dyna pam y dywedodd S. B. Jones ar ddiwedd ei feirniadaeth: 'Dymunaf gydnabod i mi ddangos y deuddeg englyn uchod i'r Athro T. H. Parry-Williams. Dewisodd yntau yr un un yn orau'.

Fe ddisgrifiwyd Evan George, Siors, fel 'Sioronwy, y meudwy mawr' gan ei frawd John Tydu, ac fe deimlwyd ei golli gan T. Llew Jones:

> Af yr haf i rodio'r fro – uwch y môr,
>   Ni cha'i mwy mo'r croeso;
>   Chwilio'r graig uchel a'r gro
>   Heb ei gael, er pob gwylio.

Cyn gynted ag y byddaf wedi cofio englyn buddugol Thomas Richards, Llanfrothen, ym Mhen-y-bont ar Ogwr, ac wedi trafod yr englyn uchod â chyfeillion, darllenaf y darlun o'r ci defaid allan o awdl 'Y Gwanwyn' gan y Prifardd Gerallt Lloyd Owen:

> A Nel yn ei helfen wâr
> Fel awel hefo'r ddaear;
> Sodlu'n glòs, annos a hel,
> Fferru'n iasoer, ffroen isel
> Yn barod, a gwib arall
> Ar hanner tro, gwyro'n gall,
> A'i hanadlu tafodlaes
> Yn codi mwg hyd y maes.

Porthmon a enillodd y gystadleuaeth. Amaethwr oedd Siors, a dilynwyd ef i amaethu'r Gaerwen gan ei unig blentyn, y bardd a'r diddanwr Tydfor (1934-1983).

Angau

Diyngan y daw Angau, – disymwth,
Gall dy siomi dithau;
Ni edwyn neb ei nodau
Na sŵn ei droed yn nesáu.

Wrth ymweld â Llanddeti, Aberhonddu, yn ardal Mynydd Llan-
gynidr, Powys, wrth grwydro Brycheiniog, meddai Alun Llywelyn-
Williams: 'Pan fûm i yno. rywdro'n ystod y rhyfel diwethaf, a hynny
ar gefn beic o Aberhonddu, yr oedd yn brynhawn crasboeth o haf, ac
y mae gennyf gof am lôn fer, dywyll, a choed tewfrig o'i hamgylch yn
amddiffynfa dderbyniol iawn rhag y gwres, yn arwain at borth y
fynwent, hithau'n ddu gan goed yw. A'r hyn a'm trawodd fwyaf ar y
pryd oedd gweld englyn gan ryw fardd gwlad anhysbys ar un o'r hen
gerrig beddau . . .'

Dyfynnodd yr englyn uchod yn *Crwydro Brycheiniog* (1964), ac
meddai: 'Go dda, onide? Ond y peth rhyfedd yw na lwyddais i y tro
diwethaf y bûm i yno i gael o hyd i'r garreg hon o gwbl. Yr oedd yn
bwrw glaw y tro hwn, mae'n wir, a'r lle i gyd wedi newid cymaint nes
imi ddechrau amau tybed ai breuddwyd oedd f'ymweliad cyntaf . . .'

Mae gan Alun Llywelyn Williams (1913-1988) droednodyn i'r
bennod 'Dyffryn Wysg ac Ystrad Yw': 'Y mae'r englyn a welais yn
Llanddeti wedi'i argraffu yn *Blodeuglwm o Englynion* W. J. Gruffydd ac
yn *Englynion a Chywyddau*, Aneirin Talfan Davies, a'i briodoli yn y ddau
lyfr i Glasfryn'.

Yn yr Eisteddfod Genedlaethol yn Wrecsam, 1977, cafwyd cystad-
leuaeth 'Casgliad o oddeutu 100 o englynion coffa oddi ar gerrig beddau,
gydag enwau, dyddiadau a lleoliad'. 'Cynigiodd 95 – record o rif,
mae'n siŵr gen-i, mewn cystadleuaeth 'draethodol',' meddai'r beirn-
iad, Bedwyr Lewis Jones. Rhannodd y wobr rhwng pum casglwr.
Un ohonynt oedd Gomer M. Roberts, Llandybïe. Cyhoeddodd ef ei

gasgliad *Mynwenta* ym 1980. Englyn rhif 5 yn y casgliad ydi 'Diyngan y Daw Angau' ac enw Glasfryn mewn cromfachau wrth ei gwt, a cheir troednodyn: 'Codwyd oddi ar garreg fedd ym mynwent y plwyf, Llanddeti ym Mrycheiniog. Ceir ef uwch enw 'Glasfryn' yn *Blodeuglwm* [*o Englynion*], rhif 222'.

A osododd yr awdur enw'r englynwr mewn dyfynodau oherwydd nad oedd ganddo ef o bawb wybodaeth amdano? Er chwilio a chwilio ni chefais innau afael ar fwy o wybodaeth amdano.

72.

Gari Williams

Â'r sioe ar ben, er cau'r llenni, – di-daw
    Yw y dorf, a glywi
    O gwr y llwyfan, Gari,
    Sŵn chwerthin dy werin di?

Llion Jones, Prifardd Eisteddfod Genedlaethol Llanelli, 2000, ydi awdur yr englyn hwn.

I lawer, prif englyn Ymryson y Beirdd yn ystod saithdegau'r ganrif ddiwethaf oedd 'Ruth' gan Ronald Griffith (1916-1977). Wrth ddwyn i go' Ymryson y Beirdd yn ystod yr wythdegau, daw englyn y Prifardd Ieuan Wyn, 'Alltud', yn Eisteddfod Genedlaethol 1984, yng Nghwm Rhymni, i go'. Chwe blynedd yn ddiweddarach cafwyd yr englyn gafaelgar uchod, englyn ymson gan fardd a ddatblygodd yn gynganeddwr praff. Fel ymrysonwr cydwybodol gwnaeth yn fwy na neb i ddod â'r 'O' yn ôl i'r Ymryson yn y Babell Lên – 'sef yr 'Ooooo' o werthfawrogiad ac o gyd-deimlo a glywid gynt yn yr hen Babell Lên,' fel y disgrifiodd y Prifardd Myrddin ap Dafydd yr ochenaid hon wrth gyflwyno ei englyn:

Ochenaid oedd â chnawd iddi, – mor wâr
    Y Gymraeg oedd ynddi;
    O mae griddfan amdani
    A'r rhai a'i hanadlai hi.

Â'r Ymryson yn y Genedlaethol yn bump oed, fe ysgrifennodd
Pennar Davies (1911-1996), Abertawe, yn *Y Genhinen* ym 1956: 'Er
cymaint fy mharch syfrdan at fedr anhygoel pencampwyr Ymryson y
Beirdd, yr wyf yn barod i daeru mai i adran y mabolgampau y perthyn
yr adloniant hwnnw ac nid i adran Llenyddiaeth ac i amau ai yn y
Babell Lên y dylid ei gynnal yn wythnos yr Eisteddfod'.

Dros hanner can mlynedd yn ddiweddarach diolchwn na weithred-
wyd awgrym Pennar Davies. Yn ystod y cyfnod mae'r Pabell-Lenwyr
wedi clywed englynion gafaelgar. Mae ymrysonwyr y trydydd cyfnod
(1983- 2008) yn gallu sefyll ysgwydd wrth ysgwydd ag ymrysonwyr y
ddau gyfnod blaenorol. Yn eu mysg mae awdur yr englyn hwn ac nid
ar sail yr englyn uchod yn unig. Mae'r englyn 'Wedi'r Ŵyl' o Ymryson
Castell-nedd, 1994, hefyd yn taro deg:

    A minnau'n colli 'mynedd yn y car,
        daw'r co'n ddidrugaredd
        ar y lôn hir o Lyn-nedd
        am y lôn ddeuddeng mlynedd.

Carchariad y cenedlaetholwr Siôn Aubrey oedd ganddo dan sylw. A'r
englyn hwn, 'Hen Gariad':

    Eiliad, wrth sgubo'r droriau o 'nabod
        cyn rhoi heibio'r geiriau;
        anwesu dail hanes dau,
        hen garwriaeth yn greiriau.

'Hen Lythyron' ydi teitl yr englyn yng nghyfrol Llion Jones, *Pethe
Achlysurol* (2007).

Ruth

Enw Ruth fo mewn aur weithian – yn hanes
    Ffyddloniaid y Winllan
  Am roi y ddigymar Ann
  Ar gof i Gymru gyfan.

I lawer, Ymryson y Beirdd Eisteddfod Genedlaethol Aberteifi, 1976, oedd uchafbwynt Ymrysonau saithdegau'r ganrif ddiwethaf yn y Babell Lên. Cafwyd dau englyn cofiadwy yn ystod yr wythnos, un gan Gerallt Lloyd Owen, a oedd yn ymrysona ar ran Gwynedd, i'r Cilie:

Mynnaf nad fferm mohoni, – ei hawen
    Yw'r cynhaeaf ynddi,
  A blaenffrwyth ei thylwyth hi
  Yw y grawn geir ohoni.

A'r llall oedd yr uchod gan Ronald Griffith. Ymrysonai ef ar ran Gweddill Cymru gyda Gwilym Rhys, Llangurig, T. Arfon Williams ac Einion Evans. Yn ei erthygl goffa iddo, yn *Barddas*, Mawrth 1977, mae ei gyd-ymrysonwr Gwilym Rhys yn dwyn i go' achlysur yr Ymryson. Yn lle gweithio englyn ar y cyd fel tîm penderfynwyd gweithio englyn yr un. Enciliodd y pedwar i'w cornel eu hunain ar y maes i fyfyrio. Y testun oedd 'Ruth', ac fe'i dewiswyd oherwydd roedd hi'n flwyddyn dathlu dau ganmlwyddiant geni Ann Griffiths (1776-1805), yr emynyddes. Ruth Evans oedd morwyn Dolwar Fach ym 1805, a phriododd John Hughes, Pontrobert (1775-1854). Hi a ddiogelodd i'r genedl emynau Ann Griffiths. Pan ddaeth y pedwar ynghyd yn ddiweddarach yn y dydd i drafod yr englynion, gofynnwyd i Ronald Griffith ddweud ei englyn ef yn gyntaf. Pan glywodd y tri arall yr englyn dyma'r tri yn plygu eu darn papur a'i gadw yn eu poced! Synhwyrodd y tri fod eu cyd-ymrysonwr wedi taro deuddeg ac nad oedd angen newid dim arno. Clamp o englyn a wefreiddiodd y Babell Lên orlawn. Englyn y sonnir amdano tra bydd ymrysona ar faes y Genedlaethol. Yn ei baragraff agoriadol i'w deyrnged iddo mae Gwilym Rhys wedi dal personoliaeth Ronald Griffith: 'Pleser bob amser fyddai cael bod yn yr un tîm ag ef. Yr oedd mor barod ac mor sicr ei drawiad, a'r hiwmor grasol a berthynai iddo mor heintus. Pan elwid arno at y meic i adrodd ei gyfansoddiad, cyn iddo yngan gair yn ei barabl hyfryd, hoeliai sylw'r gynulleidfa eiddgar ar unwaith â'i ymddangosiad urddasol'. 'Dim Cadair. Dim Coron. Dim Gobaith' oedd barn yr englynwr am ei waith fel bardd. Rhestraf y brodor o Ddyffryn Ardudwy ymhlith y chwe englynwr â chysylltiad ag Ysgol Ramadeg y Bermo. Galwodd y Parchedig Dafydd Owen, Hen Golwyn, ef yn un o englynwyr gorau'r genedl wrth gyflwyno'i englyn 'Y Brenin':

> Y seren uwch plas Herod – ni oedai
> Ar y rhawd anorfod;
> Mae'r brenin mewn stabl ddinod,
> Uwchlaw Hwn disgleiria'i chlod.

Daliwyd y tristwch o'i golli yn englyn O. M. Lloyd er cof amdano:

> Wel'di Ronald, ŵr annwyl, – newidiaist
> Yn sydyn dy breswyl;
> Pa ryfedd fod ein Prifwyl
> Heddiw o hyd yn ddi hwyl?

Cyfrinach

Gwenu wrth lôn Bryngeinach – a wnaeth Taid,
　Gweld nyth twt mewn cilfach;
　Ni rannwyd y gyfrinach –
　Wele, byw yw'r teulu bach.

Englyn hoffus ydi'r englyn hwn gan John Rowlands (1911-1969),
Y Ffôr, Pwllheli, englyn sy'n apelio'n fawr ataf fel un a fagwyd yng
nghefn gwlad Ynys Môn. Mae'r englyn yn dwyn i go' fy nhad na
ddywedodd yr un gair wrthym am nyth y dryw yng nghlawdd y lôn
fain ym Mhlas Marchog, Rhos Cefn Hir. Englyn natur sy'n taro
deuddeg ydi hwn. Mor wahanol ydi'r profiad a fynegir yn englyn R. J.
Roberts (1896-1981), Clynnog Fawr, 'Chwalu'r Nyth':

Heb un ŵy ynddo mwyach, – dyna'i drig
　O dan draed pawb bellach;
　Anodd gwneud dim creulonach
　Na darnio bwth 'deryn bach.

Mor fyw ydi'r profiad hwnnw ddeugain ac wyth o flynyddoedd yn
ôl pan aeth fy nghryman drwy nyth yng nghlawdd y lôn drol, Tai
Hirion, ger fy nghartref. Mae englynion John Rowlands, fel rhai R. J.
Roberts, mor bert a bywiog, y glec a'r ergyd bron yn ddi-feth, a'r
cynganeddu mor llyfn, nes ymddangos yn gwbl naturiol.

　Dwy dudalen gyfoethog iawn yn *Awen Arfon* ydi tudalennau 133-
134. Ynddynt cyhoeddwyd 'Glas y Dorlan' gan Trebor Roberts,
'Pistyll' gan William Roberts a 'Bwthyn Nain' gan John Rowlands. Fel
dyn y lori laeth yr adwaenid ef yn Llŷn ac Eifionydd, ond daeth yn
adnabyddus trwy Gymru gyfan fel englynwr bachog a chofiadwy. Ei
brif ddiddordeb oedd llunio englynion i fyd natur o'i gwmpas ac
englynion coffa. 'Dywedai bob amser y gwnâi ef well englyn fesul

cymal rhwng llwyfannu'r caniau llaeth nag wrth eistedd yn y tŷ . . .'
meddai Dyfed Evans yn ei bortread o John Rowlands yn y gyfrol
Olwynion Aflonydd, cyfrol deyrnged i'r englynwr dawnus (1971).

Amdano dywedodd y gwleidydd Goronwy Roberts: 'Fel pob bardd,
unigolyn oedd John ac nid hawdd ei blygu i unrhyw gyfundrefn, ar
wahân i un. Perthynai i frawdoliaeth arbennig iawn, sef y gwladwyr
prin eu haddysg ond cyfoethog eu dawn a roes fynegiant yn yr Englyn
Unodl i rai o bethau ceinaf yr iaith . . .'

Onid prinhau yn gyflym iawn iawn y mae'r gwladwyr diwylliedig?

75.

Yn yr Hen Gartref

Gweld 'deryn gwyllt, gweld derwen gam, – gweld mawn,
 A gweld môr yn wenfflam;
 Gweled brwyn ar dwyn dinam
 A gweled mwg aelwyd mam.

Englyn enwocaf y Parchedig J. J. Williams, Treforys, Abertawe
(1869-1954) ydi'r englyn hwn, englyn sy'n peri i ni deimlo'r hiraeth a
fynegir ynddo, englyn sy'n mynegi profiad oesol ac yn gyrru ias i lawr
y meingefn. Yn yr englyn myfyrdodus hwn, mae ailadrodd 'gweld/
gweled', chwe gwaith i gyd, yn rhoi undod iddo. Mae'n dwyn i gof
esgyll englyn Monallt i 'Cartref':

  I'w hedd iach yn yr awr ddu
  At hwn mae pawb yn tynnu!

Mynegodd J. J. Williams, yr englynwr telynegol, ei hiraeth mewn
englyn arall hefyd:

Dim môr a dim myharen, – dim afon,
     Dim mefus, na mawnen;
     Aberthwn aur byrth y nen
     Am weld eira Moel Darren.

Cryfder J. J. Williams, a fu'n weinidog Capel Moreia, y Bedydd-wyr, Rhymni, rhwng 1897 a 1903, oedd ei allu i awgrymu'r profiad yn hytrach na'i ddiffinio. Hoffaf yn fawr ei englyn 'Aredig':

     Od yw'r braenar yn arw – a'r barrug
     Gyda'r bore'n chwerw,
     Daw'r ŷd aur ryw dro i dw'
     O droi'r aradr i'r erw.

Wrth grybwyll enw J. J. Williams, daw rhai pethau i gof. Yn Eisteddfod Genedlaethol Caernarfon, 1906, enillodd ef y Gadair am ei awdl 'Y Lloer', awdl delynegol, swynol a phoblogaidd. Enillydd y Goron oedd y Parchedig H. Emyr Davies. Testun yr englyn oedd 'Blodau'r Grug', a'r enillydd oedd Eifion Wyn. Ddwy flynedd yn ddiweddarach a'r Genedlaethol yn Llangollen, enillwyd y Gadair am awdl i 'Ceiriog' gan J. J. Williams a'r Goron am bryddest i 'Owain Glyndŵr' gan H. Emyr Davies. Testun yr englyn oedd 'Gwrid', a'r enillydd oedd Eifion Wyn!

O 1909 dechreuodd J. J. Williams feirniadu'r prif gystadlaethau yn Adran Lenyddiaeth yr Eisteddfod Genedlaethol. Yn Eisteddfod Genedlaethol Aberystwyth, 1916, roedd ef o blaid cadeirio Hedd Wyn am ei awdl 'Ystrad Fflur', ac felly yn anghytuno â Syr John Morris-Jones. Ymhen y flwyddyn roedd eto yn beirniadu'r awdl, a'i gyd-feirniaid oedd T. Gwynn Jones a Dyfed. Dyfarnwyd y Gadair i Hedd Wyn.

J. J. Williams, ar wahoddiad Pwyllgor Coffa Hedd Wyn ym 1917, a olygodd *Cerddi'r Bugail* (1918). Meddai Alan Llwyd yn rhagymadrodd argraffiad 1994 o *Cerddi'r Bugail*:

Enghraifft ddiddorol o un o ymyriadau golygyddol J. J. Williams yw'r modd y troes:

> Dim ond gwenlloer borffor
> Ar fin y mynydd llwm;
> A swn yr Afon Prysor
> Yn canu yn y cwm.

Hedd Wyn yn:

> Dim ond lleuad borffor
> Ar fin y mynydd llwm;
> A swn hen Afon Prysor
> Yn canu yn y cwm.

Dau newid er gwell yn bendant.

76.

Castell Dinas Brân

> Englyn a thelyn a thant – a'r gwleddoedd
> Arglwyddawl ddarfuant;
> Lle bu bonedd Gwynedd gant,
> Adar nos a deyrnasant.

Dyma englyn sy'n dwyn i go' y gyfeddach a fu yn y castell anhygyrch hwn ar ben Dinas Brân cyn i John De Warrene, Iarll Surrey, ym 1282 symud ei arglwyddiaeth i gastell newydd yn Holt. Codwyd Dinas Brân i ddadfeilio a bu natur yn llywodraethu yno, tylluan lle bu dyn, ac mae rhyw arswyd yn llechu yn yr englyn hwn.

Un o Lanystumdwy ydoedd Thomas Jones (Taliesin o Eifion, 1820-1876). Treuliodd y rhan fwyaf o'i oes yn Llangollen. Ym 1826 symudodd y teulu i Langollen, lle dilynodd Taliesin ei dad fel paentiwr a phlymar yn yr ardal ar lannau Afon Dyfrdwy ar ôl derbyn addysg dda. Ei brif orchest ydoedd ennill cadeiriau eisteddfodol, yn eu mysg, cadair Eisteddfod Wrecsam 1876. Bu farw ar Fehefin 1, 1876 cyn y cynhaliwyd yr eisteddfod. Meddai Frank Price Jones yn *Crwydro Dwyrain Dinbych* (1961): 'Ef hefyd a enillodd 'Gadair Ddu' Eisteddfod Wrecsam 1876, y gadair a orchuddiwyd â lliain du tra âi'r beirdd i wisgo mwrnin ar ôl clywed bod y bardd buddugol yn ei fedd; dychwelasant i wrando ar Edith Wynne yn canu tri phennill o 'Dafydd y Garreg Wen' i'r gadair wag. Gwelais y gadair hon, cadair draddodiadol eisteddfodol, yn sêt fawr Capel Glanrafon, yr Annibynwyr'.

Taliesin o Eifion ydi awdur yr englyn poblogaidd:

> Cymru lân, Cymru lonydd, – Cymru wen,
>> Cymru annwyl beunydd;
> Cymru deg, cymer y dydd,
> Gwlad y gân, gwêl dy gynnydd.

Dyma englyn arall ganddo, 'Cyffes y Gwadwr':

> Trwy'm buchedd y trwm bechais, – gwaed yr Oen,
>> Gyda'i rinwedd, gwelais;
> Uwchlaw oll, ag uchel lais,
> Iesu eilwaith groeshoeliais.

Mae Taliesin o Eifion yn un o bedwar bardd a fu farw cyn cael eu cadeirio neu eu coroni mewn eisteddfodau. Y tri arall ydi Hedd Wyn, Jonnie J. Jones, Brynhoffnant, Ceredigion, a William Jones, Dolgellau. Hedd Wyn a enillodd Gadair Eisteddfod Genedlaethol Birkenhead ym 1917, ac enillodd Jonnie Jones gadair eisteddfod leol Aberporth, Pasg 1951. Enillodd William Jones (1907-1964) dair coron wedi iddo farw ym mis Mai 1964 – coron Eisteddfod Pantyfedwen, Pontrhydfendigaid; coron Eisteddfod Môn, Aberffraw, a choron Eisteddfod Daleithiol Powys, Llansilin, Croesoswallt.

Cymru, Cymro, Cymraeg

Mawryga gwir Gymreigydd – iaith ei fam,
    Mae wrth ei fodd beunydd;
Pa wlad wedi'r siarad sydd
Mor lân â Chymry lonydd?

Awdur yr englyn hwn ydi Caledfryn (y Parchedig William Williams, 1801-1869), gweinidog gyda'r Annibynwyr, bardd a beirniad. Bu'n weinidog mewn chwe ardal. Treuliodd dair blynedd yn Llannerch-y-medd, Ynys Môn, cyn croesi'r Fenai i Bendref Caernarfon. Ar ôl treulio un mlynedd ar bymtheg yno, y cyfnod hwyaf y bu mewn unrhyw ardal yn gweinidogaethu, aeth i Aldersgate, Llundain. Oddi yno ymhen rhyw ddwy flynedd aeth i Lanrwst, ond ni fu yno fawr o dro cyn ei throi hi am Beulah, Bangor. Bu ym Mangor am dros chwe blynedd cyn symud i'r De i'r Groeswen ger Caerffili. Bu yno am ddeuddeng mlynedd olaf ei oes. Yno y bu farw, ar Fawrth 23, 1869.

Pan oedd yn weinidog yng Nghaernarfon, 1832-1848, rhoddodd dystiolaeth o blaid yr Anghydffurfwyr gerbron Comisiwn Addysg 1846. Cyhoeddwyd adroddiadau'r Comisiwn yn ddiweddarach yn y Llyfrau Gleision, 1847, a chyflwynwyd darlun tra anffafriol o'r Cymry fel cenedl. 'O dan ddylanwad syniadau hiliol y cyfnod fe'i collfarnwyd fel cenedl gyntefig a barbaraidd. Tramgwyddwyd y Cymry yn arbennig gan y modd yr aeth y comisiynwyr ati i'w portreadu fel pobl flêr, ddiog, ddiffaith a chelwyddog a'r menywod yn eu plith fel slebogiaid llac eu moes,' yn ôl *Gwyddoniadur Cymru*.

Beirniadwyd twf Anghydffurfiaeth am swcro'r iaith Gymraeg, iaith a oedd yn cadwyno'r Cymry wrth eu diffyg gwoledigaeth. Ym 1848 cyhoeddodd Caledfryn yr englyn uchod i wrthwynebu'r adroddiad damniol. Erbyn heddiw fe'i cofir fel beirniad eisteddfodol, '. . . a chwynid ei fod yn llym iawn; gwrthwynebai lawer o syniadau beirdd ei gyfnod a chymeradwyai gynghanedd ystwyth a naturiol,' meddai

Frank Price Jones yn *Y Bywgraffiadur Cymreig hyd 1940*. Yn ei ddydd, felly, fe wnaeth lawer i wella safonau barddoniaeth.

78.

Dauwynebog

Clod ac anghlod yn gonglog, – a digon
O degwch celwyddog:
Haws troi 'r frân 'run gân â 'r gog
Na 'nabod dauwynebog.

Deuthum ar draws yr englyn hwn gyntaf yn netholiad Aneirin Talfan Davies (1909-1980), *Blodeugerdd o Englynion*. Ceir yr englyn hefyd yn y detholiad *Englynion a Chywyddau* gan yr un detholydd (1958). 'Mor wir' sibrydais wrthyf fy hun ar ôl darllen yr englyn. Onid oeddwn ddyddiau ynghynt wedi cael fy ngadael ar y clwt gan gydnabod. Hanner canrif o friw heb lwyr wella! Deuthum wyneb yn wyneb dros y blynyddoedd â nifer o bersonau dauwynebog. Rwy'n dal i'w cyfarfod. Bellach eli ar y dolur ydi llinell o waith Isnant (Edward Harper, Llanrwst, Conwy 1866-1969) – llinell sy'n agor ei ail englyn o dri i Seimon o Gyrene, 'Llwyr gyfaill awr y gofyn'.

Pwy oedd y bardd a fynegodd yn glir mewn englyn fy mhrofiad i? Awdur yr englyn ydi'r bardd Siôn Tudur (*c*.1522-1602). Yr un oedd y natur ddynol yn ei oes ef ag yn fy nyddiau i; fawr ddim wedi newid mewn pedair canrif. Bardd a oedd yn ŵr bonheddig tiriog a'i gartref yn y Wigfair, Llanelwy, bardd a oedd wedi adnabod ei gyd-ddyn. Bu'n byw yn Llundain am ddau gyfnod. Yn ystod ei ieuenctid bu'n aelod o Iwmyn y Gard – dyletswydd y corff hwn oedd gweini ar aelodau o'r teulu brenhinol. Bu Siôn Tudur yn gweini ar y Tywysog Edward cyn iddo ddod yn Frenin ym 1547. Bu hefyd yn y Llys yn Llundain yn un o Iwmyn y Goron i'r Frenhines Elizabeth yn ystod blynyddoedd cynnar ei theyrnasiad, sef o 1558 ymlaen. Dychwelodd i Gymru a bu'n byw fel bardd a noddwr. Tybir iddo fod yn ddisgybl barddol i Ruffudd Hiraethog, un o brif gywyddwyr ei oes, a graddiodd yn ail Eisteddfod Caerwys, 1567. Yn ystod oes Siôn Tudur fel bardd cyhoeddwyd Beibl William Morgan, 1585, a gweithiodd ef gywydd diffuant i'r Beibl am ei fod o'r farn mai rhoi dysg yn yr iaith Gymraeg oedd y weithred o drosi'r Beibl i'r iaith. Fel un o Feirdd yr Uchelwyr, canodd gerddi mawl a marwnad i deuloedd yng Ngogledd Cymru. Ond dychan yw'r elfen fwyaf cofiadwy yn ei waith. Gwelodd lawer i'w oganu a'i feirniadu ym mywyd Llundain a Chymru. Synhwyrodd hefyd ddirywiad y traddodiad barddol ar ddiwedd ei oes. Dychanodd y beirdd. Oni dywedodd:

> Pawb chwit chwat yn lladrata
> Penillion prydyddion da,
> A'u troi i iangwr truan,
> Poen rhyw freib, fal paentio'r frân.
> Asgell o bob edn gwisgwych
> Ar fryn a wnâi'r frân yn wych.

Siôn Tudur oedd un o'r penceirddiaid mawr olaf, ac fe'i hedmygir am ei feistrolaeth ar y grefft. Pwy oedd y person, tybed, a gleisiodd Siôn Tudur yn fy hoff englyn o'i eiddo?

Er Cof am Mrs Maggie Jones,
Y Berth, Y Fron-goch, Y Bala

Ei gwynfyd oedd munudyn – yn yr ardd
Awr o haf hirfelyn,
Cyn ildio i wywo'i hun
Yn dawel fel blodeuyn.

Bob Edwards (1914–1996), Y Fron-Goch, Y Bala, ydi awdur yr englyn hwn. Bardd â meddwl deinamig oedd ef, bardd a oedd yn trin geiriau, yn caboli llinellau, yn plethu cynganeddion i gynhyrchu englynion crefftus a deheuig. Pan ddarllenais yr englyn hwn ar garreg fedd Mrs Jones ym mynwent Llanycil ger Y Bala, cyffyrddodd y geiriau gonest â'm dychymyg. Gwelais y wraig o'r Fron-Goch yn ei gardd yn llawn afiaith ac mewn eiliad fe'i gwelais yn ei henaint. Mae'r gynghanedd yn y drydedd linell yn cyfleu arafwch gwywo, boed blanhigyn neu berson. Englyn i'w gofio am ei fod yn portreadu cylch bywyd.

Yn *Awen Meirion* (1961) cyhoeddwyd tri englyn gan Bob Edwards, sef ei englyn adnabyddus i Churchill, un i'r 'Bom Atom' ac un 'Er Cof am Ffrind'. Mae esgyll yr englyn didwyll hwn yn dangos gallu'r englynwr i fynegi ei feddwl yn glir ac yn afaelgar:

Dy emau, hoff gydymaith,
Leinw y tir, oleuai'n taith.

Dwy flynedd ar bymtheg yn ddiweddarach, yr oedd Alan Llwyd yn cynnwys englyn Bob Edwards i'r 'Drws' yn *Y Flodeugerdd Englynion*. Mae ei drydedd linell yn apelio, 'I'r dihyder, hyder rydd'. Yn *Pethe Penllyn*, papur bro pum plwy Penllyn, cyhoeddodd Bob Edwards gywydd ar ymddeoliad Mrs M. J. Blumstein, Ysgol Y Fron-Goch. Dotiais at y darn hwn o'r cywydd cynnes:

Ac fel Mam un gyflym oedd
Yn mesur ysgarmesoedd,
A rhwydo y direidus
Heb air ond codi ei bys.

Disgrifiad byw a darn a gyfoethogodd uned yr ysgol yng Nghynllun y Porth clodwiw.

Yn y gyfrol *Blodeugerdd Penllyn*, a olygwyd gan Elwyn Edwards, ceir 35 o englynion gan Bob Edwards. Dylid nodi bod Bob Edwards yn dad i olygydd y flodeugerdd, a hefyd yn frawd-yng-nghyfraith i Ithel Rowlands. Yn llinach y golygydd hefyd roedd Gwynlliw Jones (1920-2007), Capel Celyn. Tad Ithel Rowlands a Mair, mam Elwyn, oedd R. T. Rowlands (1899-1973). Ifan Rowlands, y Gist Faen (1887-1977), oedd tad R. J. Rowlands, Y Bala. Gellir galw y nythaid swil hwn o feirdd yn Hogiau'r Tyrpeg – gan mai yno y ganwyd Ifan ac R. T. Rowlands.

80.

Mynydd Tal-y-fan

Mynydd yr oerwynt miniog – a diddos
    Hen dyddyn y Fawnog,
    Lle'r oedd sglein ar bob ceiniog
A 'Nhaid o'r llaid yn dwyn llog.

Huw Thomas Edwards (1892-1970), undebwr amlwg a ffigwr cyhoeddus a oedd yn cael ei adnabod fel Huw T. Edwards yn y byd gwleidyddol Cymreig ganol y ganrif ddiwethaf, ydi awdur yr englyn hwn.

Saif Mynydd Tal-y-fan ddwy fil o droedfeddi ar ochor orllewinol Afon Conwy a thua phedair milltir o Gonwy. Troedle llinach y bardd oedd yr ardal, Tyn y Ffridd, tyddyn naw erw a saif oddeutu milltir o

Gapelulo, Conwy, i gyfeiriad copa Tal-y-fan. John Edwards, a fu farw ym 1896, oedd y taid, a weithiai yn chwarel Penmaen-mawr cyn rhoi'r gorau i'r gwaith er mwyn ffermio Tyn-y-Ffridd.

Yn *Barddas*, Mai 1991, dan y pennawd 'Bardd yr Un Englyn', fe ddywedodd y Prifardd Gwilym R. Jones: 'Fe ddisgrifiodd Huw T. Edwards ei gefndir mynyddig mewn un englyn meistraidd, ac ar bwys yr orchest hon gellid ei alw'n 'fardd yr un englyn', sef cynganeddwr a ddaeth i'r amlwg ar bwys un englyn unodl union go arbennig . . .' Roedd Gwilym R. Jones yn cydnabod yr hyn a ddywedodd y Prifardd W. D. Williams am y drydedd linell. Dywedodd mai hi oedd yr enghraifft orau oll o'r gynghanedd Lusg. 'Go brin bod yn ein barddoniaeth well disgrifiad o'r hyn a olygai tlodi i'n hynafiaid . . . Awgryma'r gair 'sglein' y draul fawr a fu ar un o ddarnau arian rhataf y werin Gymraeg,' ychwanegodd Gwilym R.

Englyn graenus arall a weithiodd Huw T. Edwards ydi'r un 'I Ysbyty Alexandra, Y Rhyl':

> O'r drin dowch dros y rhiniog – i galon
> Y golau sy'n annog;
> Ein cyfle yw ein cyflog
> A hoen y llesg yw ein llog.

Mae trydedd linell yr englyn hwn eto yn gafael. Roedd yn un o gymeriadau mwyaf dylanwadol gwleidyddiaeth Cymru yn ei ddydd.

Yn *Barddas*, Rhagfyr 1992/Ionawr 1993, cyhoeddwyd englyn gan y Prifardd Gwilym R. Jones, 'Ar gofeb Huw T. Edwards':

> Rhwng Clwyd a Thaf y safodd, – dros y gwan,
> Dros y gwir a garodd;
> Pan ddaeth tân dyddiau anodd
> Yn y ffwrn un dewr ni ffodd.

Disgwyl

Er llef y dioddefydd, – er dyheu
　　Am wawr dydd mewn cystudd,
　　Er gofuned gwyliedydd
Nid cyn ei awr y daw'r dydd.

Yng nghefn y meddwl wrth ddarllen yr englyn hwn gan Evan Jenkins (1894–1959), Ffair Rhos, roedd y geiriau ysgytwol 'Ehed amser, meddi, Na;/erys amser; dyn â'. Mae'r geiriau uchod i'w gweld yng nghanol y cwad yn hen adeiladau'r Brifysgol ym Mangor. Englyn crefftus ydi 'Disgwyl', gyda'r gynghanedd Lusg yn y llinell gyntaf yn disgrifio amser yn llusgo a'r geiriau amlsillafog fel 'dioddefydd' a 'gofuned' a 'gwyliedydd' yn pwysleisio hynny. Mae'r bedwaredd linell, cynghanedd Sain, yn creu uchafbwynt ac yn ddihareb. Dyma englyn sy'n datgan na all dyn reoli amser.

Dro yn ôl deuthum ar draws toriad o ryw bapur newydd – 'Colofn y Bardd a thri englyn Er Cof am Gordon, Dafydd a Moses, tri aelod o ddosbarth cerdd dafod gan Gwenallt' – gan Evan Jenkins, Ffair Rhos. Yn Saesneg dywedir: 'The school of bards in the rural hamlet of Ffair Rhos in the Ystrad Meurig district of Cardiganshire is famous throughout the Principality and Evan Jenkins, who lives at Ffynnon Fawr, Ffair Rhos, and wins this week's two guineas book prize, is the senior member and mentor. He is as much of a legend as the village'. O dan y paragraff uchod ceir y gorchymyn: 'Send your Welsh poems to Keidrych Rhys, c/o *The People*, 92 Long Acre, London, W.C.2. But please keep them short'.

Golygydd a bardd oedd Keidrych Rhys (1915–1987). Ei enw iawn oedd William Ronald Rees Jones, ac fe'i ganwyd ym Methlehem ger Llandeilo, Sir Gaerfyrddin. Bu'n ohebydd i'r *People*, papur Sul poblogaidd, rhwng 1954 a 1960. Ym 1959 cyhoeddwyd *Cerddi Ffair Rhos*, Evan Jenkins, ac erbyn hynny roedd Evan Jenkins, Minawel, Ffair

Rhos, wedi marw. T. Llew Jones a fu'n golygu'r gyfrol ac yn y rhagair dywedodd: 'Ar hyd y canrifoedd magodd Sir Aberteifi nifer dda o feirdd enwog. Yn ein cyfnod ni, ni fagodd neb mwy nodedig nag Evan Jenkins, Ffair Rhos'. Do, fe fagodd Ffair Rhos 'nythiad o feirdd' a thad y nythiad oedd awdur y gyfrol hon. O dan gyfaredd Evan Jenkins ni allai Ffair Rhos lai na bod yn 'Bentref y Beirdd'.

Bu Evan Jenkins farw ar Dachwedd 2, 1959, a'i gladdu ym mynwent Ystrad Fflur bum diwrnod yn ddiweddarach yn yr un lle â Dafydd ap Gwilym a'r bardd gwlad Isgarn (Richard Davies, 1887-1947). Yn ei gywydd 'Yn Angladd Ifan Jenkins' holodd T. Llew Jones:

> Ap Gwilym, pa gywely
> A f'ai well na'r hwn a fu,
> Cyn gorchuddio'i wedd heddiw,
> Fel tithau'n Saer geiriau gwiw?

82.

Y Gwreiddyn

> Mae'n wir y gwelir argoelyn – difai
>   Wrth dyfiad y brigyn;
>   Hysbys y dengys y dyn
>   O ba radd y bo'i wreiddyn.

Mae'r englyn hwn gan Tudur Aled (c.1480-c.1525) yn enghraifft deg o englynion y cyfnod, englyn sydd wedi ei weithio yng nghysgod y cywydd, ac felly, nid oes i'r paladr fawr o arbenigrwydd ond mae'r esgyll, cwpled cywydd, yn gafael, yn epigram cofiadwy.

Roedd Tudur Aled yn gynganeddwr arbennig o gryf a brithir ei gerddi gan gwpledi epigramatig cofiadwy:

Rhaid i'r un y rho Duw ras
Gydgerdded gydag urddas.

Eto:

Os eginyn sy' gennyf,
O fesen, derwen a dyf.

Mae esgyll yr englyn uchod bellach ar gof gwlad. Oni ddylid ei gael yn arwyddair Cymdeithasau Teuluoedd Siroedd Cymru? Ceir y cwpled hefyd yn y cywydd i Reinallt Conwy, o'r Bryn Euraid. Brodor o blwy Llansannan oedd Tudur Aled, bro y dywedodd amdani:

Trwm gwin y tir y'm ganed,
Eto i'r drwm y traed a red.

Dylanwadodd y fro yn drwm arno. Datblygodd fel bardd wrth draed ei athro barddol, Dafydd ab Edmwnd (bl. 1450-1497), ei ewythr, a oedd yn feistr ar gryfder a pherseinedd llinell. Daeth Tudur Aled, bardd y gymdeithas uchelwrol Gymraeg, yn fardd o fri, yn un o feirdd mwyaf cyfnod Beirdd yr Uchelwyr. Bu ei ddylanwad yn fawr trwy fod yn un o gomisiynwyr Eisteddfod Caerwys, 1523. Cynhaliwyd yr eisteddfod honno 'er gwneuthur trefn a llywodraeth ar wŷr wrth gerdd dafod a thant ac ar eu celfyddyd'.

Englyn olaf Tudur Aled, a feddai ar bersonoliaeth urddasol a sensitif, oedd yr englyn a luniodd pan orweddai yn glaf ar ei wely:

Er ffrydiau gwelïau gloywon – Iesu,
    Er Ei ysig ddwyfron,
  Er gwaed Ei holl archollion,
  Na bwy'n hir yn y boen hon!

Y Rhosyn a'r Grug

I'r teg ros rhoir tŷ grisial – i fagu
    Pendefigaeth feddal;
I'r grug dewr y graig a dâl –
    Noeth weriniaeth yr anial.

Dyma un o englynion mwyaf adnabyddus y Gymraeg, englyn cryf o ran ei feddylwaith a'i gynghanedd. Wrth syrthio o blaid yr englyn hwn gan John Owen Williams, y bardd Pedrog (1853-1932), fel ei hoff englyn mynegodd y Parchedig O. M. Lloyd ei farn: 'Bu Pedrog yn brentis garddwr cyn mynd i'r weinidogaeth. Mae'r garddwr mwyn wedi cyfosod dau blanhigyn ac wedi cyferbynnu dwy system wleidyddol hefyd, dwy drefn gymdeithasol, pendefigaeth a gweriniaeth. Y mae'r rhos a'r grug yn achub y pennill rhag ei gyfri yn haniaethol'.

Codwyd yr englyn hwn o awdl Pedrog 'Gwlad y Bryniau'. Fe'i gosodwyd ymhlith y pedair awdl orau yng nghystadleuaeth y Gadair yn Eisteddfod Genedlaethol Llundain, 1909. T. Gwynn Jones oedd y bardd buddugol yn y gystadleuaeth honno, ac R. Williams Parry, *Alastor* yn y gystadleuaeth, oedd yr ail. *Arthur Wyn* oedd ffugenw Pedrog. Englyn cofiadwy arall o'r gystadleuaeth oedd englyn Brynfab, Pontypridd:

O! wlad fach, cofleidiaf hi, – angoraf
    Long fy nghariad wrthi;
    Boed i foroedd byd ferwi,
    Nefoedd o'i mewn fydd i mi.

Alun Wyn oedd ei ffugenw.

Yn ei anerchiad yng nghyfarfod dathlu canmlwyddiant geni Pedrog yn Llanbedrog, dywedodd Cynan, gan gyfeirio at hunangofiant Pedrog, a gyhoeddwyd ym 1932: 'Eithr, er mai fel campwr ar sgrifennu rhyddiaith fyw y gwelir Pedrog yn *Stori 'Mywyd* ac mai fel awdur y gyfrol honno y mae ei enw'n debyg o fyw, nid yw hynny'n gyfystyr â dweud nad oes dim o'i farddoniaeth yn debyg o oroesi ei ganmlwyddiant. Dyma i chwi, er enghraifft, un englyn cywrain o'i waith a fydd byw tra bo pobl yng Nghymru a fedr werthfawrogi ffordd glasur ac awenyddol o fynegi syniad . . .'

Yn yr anerchiad, a gyhoeddwyd yn *Y Genhinen*, Hydref 1953, dyfynnwyd yr englyn uchod. Englyn arall gan Pedrog, a fu'n Arch-dderwydd Cymru o 1928 hyd at 1932 , sy'n awenyddol ei fynegiant ydi 'Machlud Haul':

> Er i'w wyneb eiriannol – ymgilio
> O'm golwg yn hollol,
> Hyd loriau'r ardal hwyrol
> Godre'i wisg edy ar ôl.

84.

Y Llynnau

> Y llynnau gwyrddion llonydd – a gysgant
> Mewn gwasgod o fynydd,
> A thyn heulwen ysblennydd
> Ar len y dŵr lun y dydd.

Yn ei ysgrif 'Gwerthfawrogi'r Englyn', *Barddas*, Chwefror 1984, gosododd y Prifardd Mathonwy Hughes yr englyn hwn yn y dos-barth 'Disgrifiadol (plaen)' gydag englyn Gwallter Mechain i'r 'Nos'. Eglurodd y bardd o Ddinbych fod yr englyn 'yn creu darlun y gellid byw gydag ef ar fur ystafell fel gydag un o ddarluniau Constable neu Turner'. 'Mi wn i y byddai'r beirniad bach, gorfanwl heddiw yn barod i alw sylw at 'a gysgant' yn englyn Gwilym Cowlyd, ond gadawer i hynny fod. Oni ddywedodd R. Williams Parry unwaith 'y gall-ai'r 'prentis' amlycaf ddysgu O. M. Edwards sut i sbelio',' meddai Mathonwy Hughes wedyn. Nai i Ieuan Glan Geirionydd, yr emynydd angladdol, ydi awdur yr englyn hudolus hwn. Ganwyd William John Roberts, Gwilym Cowlyd, ym 1827, a bu farw ym 1904, ar y Topiau, sef yr ucheldir uwchben Trefriw yn Nyffryn Conwy.

Daw'r englyn telynegol uchod, sy'n cael ei ystyried yn un o oreuon yr iaith, o'i awdl 'Mynyddoedd Eryri', a enillodd iddo Gadair Eisteddfod Genedlaethol Conwy ym 1861, awdl a gododd Gwilym Cowlyd yn ei ddydd i reng flaenaf beirdd ei oes. Yn neuddeng mlynedd olaf y bedwaredd ganrif ar bymtheg yr oedd yr awdl uchod yn cael ei gosod gan feirniaid y cyfnod ymhlith y deuddeg awdl orau yn yr iaith!

'Yr oeddwn unwaith,' meddai J. Glyn Davies, 'yn cerdded ar hyd stryd yn Llanrwst efo Gwilym Cowlyd. Gwelwn hen wraig yn ei dau ddwbl yn cerdded atom. Meddai Gwilym, "Fenyw fwyn, ngwrando 'nghwyn, rwyf yn marw er dy fwyn. Dyna i chi Jane Rogers, hen gariad Ieuan Glan Geirionydd." Aeth ias drwof'.

Stori sy'n dangos mai cymeriad unigryw oedd Gwilym Cowlyd gyda dychymyg afreolus. Bu'n argraffydd ac yn llyfrwerthwr ond nid oedd ganddo synnwyr busnes.

I gloi ei astudiaeth o hanes bywyd Gwilym Cowlyd, *Gwilym Cowlyd 1828-1904* (1976), astudiaeth a gyhoeddwyd ar ôl ei farwolaeth, dyw-edodd y Parchedig G. Gerallt Davies (1916-1968): 'Wrth edrych yn ôl ar hynt a helynt ei fywyd ni ellir llai na chydnabod fod Gwilym Cowlyd yn amryddawn a thra galluog, ac yn ei ffordd wreiddiol, arbennig a phendant ei hun, wedi cymryd rhan hynod ym mywyd llenyddol ac eisteddfodol hanner olaf y bedwaredd ganrif ar bymtheg'.

Ein Tir

Y goedwig lle bu ogedu – a dŵr
Lle bu ddôl yn glasu.
A sŵn ein hymddatod sy'
Yn hedd yr ymlonyddu.

Awdur yr englyn hwn ydi R. J. Rowlands, Y Bala (1915-2008), englynwr penigamp yn ôl Derwyn Jones, Mochdre. Ef ydi'r ail Robert John Rowlands yn ein barddoniaeth. Y cyntaf oedd y brodor o Abergwyngregyn, Gwynedd, Prifardd Caernarfon 1921. 'Daeth yn adnabyddus iawn fel beirniad Ymrysonau Beirdd y BBC o'r dechrau. Cymaint o'i stamp arbennig ei hun a roes ar y gwaith nes galw hynny bellach yn 'feurynna',' meddai *Cydymaith i Lenyddiaeth Cymru.*

Fe roddodd R. J. Rowlands, brodor o'r Gist Faen, Llandderfel, hefyd ei stamp ei hun ar farddoniaeth Penllyn. Portreadodd yn grefftus ddiffuant fywyd gwledig a diwylliedig ardal ei febyd a hwnnw yn cynrychioli pob ardal yng Nghymru. Mae esgyll yr englyn yn iasol hunllefus a'r cyferbynnu rhwng sŵn a hedd yn athrylithgar. Sŵn brawychus ydi sŵn ein ffordd o fwy yn datgymalu a ninnau yn fodlon ein byd. Mae teitl yr englyn hwn yn ategu'r hyn a ddywedir yn epigram y Prifardd Tomi Evans:

Mae mwy ar werth pan werthir
Ein daear na darn o dir.

Fe anwyd R. J. Rowlands yn freiniol i fyd barddas. Roedd ei dad, Ifan Rowlands, yn ymhyfrydu yng nghyfrinion Cerdd Dafod. Ifan Rowlands oedd y beirniad yn Eisteddfod Llawrdyrnu Y Sarnau pan wobrwywyd W. D. Williams am ei englyn 'Gras o Flaen Bwyd'. Brodor o Gapel Celyn oedd Ifan Rowlands a dysgodd ef a'i frawd, R. T. Rowlands, y cynganeddion wrth draed Ellis Jones (Celynfab),

Garnedd Lwyd, Capel Celyn. Roedd y Tyrpeg dafliad carreg o'r fferm. O'r gwersi hynny y tarddodd Beirdd y Tyrpeg felly: Ifan Rowlands a'i fab R. J. Rowlands; Robert Thomas Rowlands a'i fab Ithel a'i deulu; ei fab-yng-nghyfraith Bob Edwards a'i deulu yntau. Priododd R. T. Rowlands wyres y bardd Edward Williams, Morlwyd, o Danygrisiau, Blaenau Ffestiniog. Fe ddywedwyd am englynion R. J. Rowlands eu bod yn cyffwrdd â'r bobl gyffredin sy'n cael blas ar ddarllen a dysgu englynion ar y co', er enghraifft, 'Ar Gerdyn Nadolig':

> Wrth fwrdd y wledd eisteddwn, – o ganol
> Digonedd y codwn;
> Heddiw nac anwybyddwn
> Waedd y lleill am weddill hwn.

ac 'Iogwrt':

> Hen rinwedd prin yr enwyn, – y surni
> Sy' arno a ennyn
> Sawr i gof o'r amser gwyn,
> A mam annwyl a'i menyn.

86.

Llidiart y Mynydd

> Llidiard uwchlaw llidiardau, – a godwyd
> I gadw'r terfynau
> Ar fynydd oer ei fannau
> A'i werth i gyd wrth ei gau.

Y diweddar J. R. Jones Tal-y-bont (1923-2002) mewn sgwrs radio ar ddechrau wythdegau'r ganrif ddiwethaf a dynnodd fy sylw at yr englyn hwn. Hanner canrif ynghynt clywodd ef ei weinidog, y Parchedig Fred Jones (1877-1948), yn cloi un o'i bregethau â'r englyn hwn. Glynodd y llinell glo yn ei feddwl fel glud. Ymhen amser, deallodd mai englynwr o'r enw John Thomas oedd awdur yr englyn. Tua thair blynedd cyn y sgwrs derbyniodd J. R. Jones becyn brown o bapurau oddi wrth Francis Thomas, yr amaethwr diwylliedig o Garno, Powys. Wrth eu trosglwyddo i J.R. meddai Francis Thomas: 'Cofnodion un o 'steddfodau Powys, hanes 'nhad a thipyn o'i waith yn cynnwys ei englyn i Lidiart y Mynydd'!

Y noson honno yn ei gartref, darllenodd J.R. y papurau a chronicl o fywyd un a fu yn enw diarth iddo. Drannoeth ar gais Francis Thomas fe drosglwyddwyd y papurau i'r Llyfrgell Genedlaethol.

Cynhaliwyd Eisteddfod Daleithiol Powys yng Ngharno ym 1930. Testun yr englyn oedd 'Llidiart y Mynydd', a'r beirniad oedd y Parchedig Fred Jones. A'r buddugol oedd John Thomas, Fron Haul, Carno. Ganwyd ef yn Rhos Haidd, Carno, ym 1866, a bu farw yn ystod wythnos yr Eisteddfod Genedlaethol ym Machynlleth ym 1937. Dysgodd y cynganeddion drwy astudio *Yr Ysgol Farddol*, Dafydd Morganwg (1832-1905), awdur y gwerslyfr cynganeddion a gyhoeddwyd gyntaf ym 1869. Cafodd hefyd gymorth ei lysfam, athrawes leol a chanddi eithaf gafael ar y cynganeddion.

Yn Adran Bywgraffiadau *Awen Maldwyn* (1960), yr enw sydd yn dilyn John Thomas ydi John Robert Thomas (Siôn Brydydd, 1873-1959). Ffermwr oedd yntau a ddysgodd y cynganeddion o *Yr Ysgol Farddol*!

Bu amryw o englynion John Thomas Carno, yn enwedig 'Llidiart y Mynydd', ar dafod-leferydd ei ardal enedigol. Fel un a fu'n was fferm am bymtheng mis, ac un a gafodd y profiad o weld defaid diarhebol y cymoedd yn crwydro yn ei ardd, mae gwirionedd amaethyddol mawr yn llinell olaf yr englyn.

'Perl o englyn o safbwynt ei symlder; englyn gan wladwr ydyw i wrthrych a ddiflannodd oherwydd y newid mewn arferion amaethyddol. Serch hynny, mae'n englyn y gellir ei ddehongli mewn sawl ffordd o safbwynt byd natur neu'r diwylliant Cymreig ym Maldwyn,' meddai'r Prifardd D. Cyril Jones yn *Maldwyn*, cyfrol 15, Cyfres Bröydd Cymru (2003).

87.

Y Cryfaf Peth

Cryf yw cryfdwr dŵr ar doriad – y môr,
Cryf ymherodr dengwlad,
Cryf yw'r gwynt, rhyw helynt rhad,
Cryf yw cwrw, cryfa' cariad.

'Di-enw' sydd wrth yr englyn hwn yn *Y Gelfyddyd Gwta* (1929), a olygwyd gan T. Gwynn Jones. Mae'r 'di-enw' yn mynegi, efallai, i'r englyn uchod fod yn rhan o gân, ond anghofiwyd y cyfan ohoni ac eithrio'r englyn hwn. Bu iddo fyw ar gof gwlad nes i rywun o'r diwedd ei gofnodi ar bapur. Fe gofiwyd yr englyn am fod ffrwyth profiad wedi ei wasgu i le bach. Mae tinc arddull yr hen bennill telyn ynddo – pennill telyn wedi ei gynganeddu yn englyn. Mae ailadrodd y gair 'cryf' yn rhoi cymeriad i'r englyn; mae fel cnoc morthwyl a'r gair 'cryfa'' ar y diwedd yn sodro ei neges yn y meddwl. Unwaith yno y mae'n gadwedig. Rhaid darllen yr englyn yn ofalus i ddeall y gwirionedd a geir ynddo. Nid ar y beirdd y mae'r bai bob amser fod y darllenydd yn darllen eu gweithiau ar ormod o frys i ddeall eu doethineb.

Bu T. Gwynn Jones yn gatalogydd yn y Llyfrgell Genedlaethol, 1909-1913, ac efallai iddo ddod ar draws yr englyn uchod yn un o lawysgrifau'r Llyfrgell ac iddo ddistaw ddiolch i'r cofnodydd gwreiddiol am ei gofnodi. Pan gyhoeddwyd *Y Gelfyddyd Gwta* ym 1929 roedd T. Gwynn Jones ers deng mlynedd yng Nghadair Gregynog mewn Llenyddiaeth Gymraeg yng Ngholeg Aberystwyth, yr unig ddarlith-ydd i'w llenwi.

Cyhoeddwyd y gyfrol gan Wasg Aberystwyth flwyddyn ar ôl ei sefydlu gan y newyddiadurwr a'r bardd E. Prosser Rhys (1901-1945), golygydd *Y Faner*, a oedd wedi symud o Ddinbych i Aberystwyth ym 1923.

Yng nghasgliad Eifionydd (John Thomas, 1848-1922), *Pigion Englynion Fy Ngwlad*, yr ail gyfrol (1882), ceir englyn i 'Cariad' gan Cadvan (John Cadvan Davies, 1846-1923), a fu'n Archdderwydd Cymru ond am saith mis yn unig ym 1923:

> Byd hynod mewn tywodyn, – a chysur
> Iach oes mewn munudyn:
> Cyfrol mewn gair, ond gair gwyn,
> A da fôr mewn diferyn.

88.

Cartref

> Plennais, da gwisgais dew gysgod – o'th gylch
> Wedi'th gael yn barod;
> Wele, yr Hendre Waelod,
> Byddi di a m'fi heb fod!

Deuthum ar draws yr englyn hwn hefyd yn *Y Gefyddyd Gwta*. Cododd T. Gwynn Jones yr englyn o lawysgrifau Peniarth yn y Llyfrgell Genedlaethol. Ei awdur ydi Wiliam Phylip (1579-1669), un arall o Phylipiaid, Hendrefechan, plwyf Llanddwywe, Bro Ardudwy, rhwng Y Bermo a Harlech. 'Y darn gwlad enwocaf yng Nhymru, efallai, am enwogion,' meddai W. J. Gruffydd yn ei gyfrol *Llenyddiaeth Cymru 1450-1600* (1922).

Roedd Wiliam Phylip yn llinach Siôn Phylip (1543). Canodd ef dri englyn, 'Pawb o'r Un Ach', a dyma'r trydydd:

> Er balchedd bonedd y byd – a'i ryfyg,
> I rwyfo llawenfyd,

Ni ddaethom oll i'r hollfyd
O Adda ac Efa i gyd.

Yr oedd Rhisiart Phylip, a fu farw ym 1641, yn frawd iau i Siôn Phylip. Canodd ef englyn i 'Llawenydd':

Hiraeth sy' helaeth am Siôn – a Marged,
    A'u mawrgost a'u rhoddion;
Nid iach deutal fy nghalon,
Nid llawen byd lle ni bôn'.

Meddai'r *Bywgraffiadur Cymreig hyd 1940* am Risiart Phylip: 'Nid ymddengys iddo ganu marwnad pan fu farw ei frawd yn 1620; yr un modd, pan fu yntau farw yn 1641, nid ei nai Gruffydd Phylip a farwnadodd iddo eithr William Phylip, Hendre Fechan'. Fel y nodwyd eisoes, canodd Gruffudd Phylip englyn cofiadwy i'w dad. Canodd y Phylipiaid nifer o gerddi i adeiladau: Siôn Phylip i barlwr newydd ym Mhlas y Ward a hefyd gywydd i'r tai coed ac i'r harbwr yng Nghaerdydd. Bu i Gruffudd Philip weithio englynion pan oedd Castell Harlech yn cael ei fwrw i lawr.

Yn ôl *Y Gelfyddyd Gwta*, ym 1593 y canwyd yr englyn 'Cartref'. Mae'r englyn yn fy atgoffa o fy mhrofiad i. Ym mis Hydref, 1966, y symudasom ni i Deifi, 106 Heol Llancayo, tŷ a godwyd ym 1965. 'Doedd fawr o siâp ar yr ardd, ond fe ddaeth rhyw fath o drefn arni – er mai dail tafol a oedd yn tynnu llygaid yr ymwelwyr yn ystod is-etholiad Caerffili, Mehefin a Gorffennaf 1968! Ond erbyn heddiw mae pethau yn ganmil gwell, ac mor wir ydi'r profiad a fynegir yn yr englyn hwn.

Canodd Wiliam Phylip hefyd 'Englynion Ffarwél i Hendre Fechan', a gelwir hwy yn 'Englynion ar Henaint' mewn rhai llawysgrifau. Maent yn mynegi'r ymdeimlad fod angau yn agosáu.

89.

Llwch

Yn y llwch gynt y llechais, – oddi arno
 Am ddiwrnod y rhodiais;
'Llwch i'r llwch' – clybûm y llais
 I'w chwalu, a dychwelais.

'Ysgweier englyn a bardd gwlad' ydi awdur yr englyn hwn, sef Isfoel (Dafydd Isfoel Jones, 1881-1968), un o Fois y Cilie. Fe'i clywais gyntaf yn y Babell Lên yn Eisteddfod Genedlaethol Aberteifi, 1976, pan gyflwynwyd hanes Bois y Cilie i'r eisteddfodwyr. Roedd y Babell Lên orlawn ar gledr llaw'r arch-gyfarwydd T. Llew Jones. Pan ddeëllais mai yn Eisteddfod Llanuwchllyn, 1957, yr enillodd Isfoel wobr amdano, penderfynais yn y fan a'r lle y buaswn yn chwilio am gopi ail-law o *Llên y Llannau*. Yn ddiweddarach y diwrnod hwnnw deuthum wyneb yn wyneb ag W. Emrys Jones, Llangwm, a dechrau ei holi. Aeth y gwynt o'm hwyliau pan eglurodd ysgrifennydd ymroddgar Eisteddfod Llangwm, a gŵr a oedd yn gysylltiedig â *Llên y Llannau*, na ddechreuwyd cyhoeddi cyfansoddiadau'r pedwar llan tan 1958! Ond cofiais fod *Cerddi Isfoel* (1958), ei gyfrol gyntaf, gennyf gartref. Hi oedd un o'r cyfrolau cyntaf a brynais yn Llyfrfa Pendref, Bangor, Siop Goronwy Hughes. Pan ddychwelais i Deifi darllenais y gyfrol a chael yr englyn uchod ynddi, englyn sy'n ein taro dan ein gên â dyrnod y gwir plaen.
'Llwch' oedd testun yr englyn yn Eisteddfod Llungwyn Llanuwchllyn, 1957. Gwyndaf oedd y beirniad ac yn ôl Llwyd o'r Bryn (1888-1961), cyfaill i Isfoel, roedd wedi cael clust y gynulleidfa wrth ddarllen yr englyn uchod. Ar ôl y feirniadaeth dywedodd llawer a oedd yn bresennol, a Llwyd o'r Bryn yn eu mysg, mai dyma un o'r englynion mwyaf ysgytwol iddynt ei glywed erioed.
Yn ei ddyddiadur am y cyfnod cofnododd Isfoel: 'Cefais yr englyn yn Llanuwchllyn, allan o 336 – 'Llwch''. Roedd nodi faint o gerddi neu englynion a oedd i mewn yn y cystadlaethau y cymerai Bois y Cilie ran ynddynt yn bwysig iddynt.

Gyda llaw, flwyddyn yn ddiweddarach yn Eisteddfod Llanuwchllyn, y testun oedd 'Mieri', a'r enillydd oedd Alun Cilie, brawd ieuengaf Isfoel!

Mewn dyddiadur arall, meddai T. Llew Jones yn ei ragair i'r gyfrol a olygodd, *Cyfoeth Awen Isfoel* (1981): 'Fe geir pob manylyn bach ynglŷn â'i gladdu, pwy oedd i ddwyn yr arch a beth oedd y geiriau i'w cerfio ar ei garreg fedd . . .'

Dywedodd ar Fawrth 4, 1962, fod yr englyn uchod i'w gerfio ar ôl ei enw. Roedd hefyd wedi amlinellu ar gyfer y *Western Mail* sut yr oedd cyhoeddiad ei farwolaeth i ddarllen! 'Rhoed i'r llwch ymherodr Llên' ym mynwent Capel y Wig, Blaen Celyn, Chwefror 5, 1968, a chadwyd yn glòs at ei ddymuniad. Bu farw ei gyfaill Wil Ifan yr un flwyddyn ag ef. Mae rhywun yn cofio un o epigramau Isfoel yn sgil yr englyn uchod:

> Ni chei eilwaith mo'r teithio,
> Dibardwn yw grŵn y gro.

90.

Yr Aradr

> Lle tyr awch ei chwlltwr hi – groen y tir,
>   Bydd grawn teg yn torri,
>   A maes o aur trwm ei si
>   Yma adeg y Medi.

Dywedodd Mathonwy Hughes yn ei erthygl 'Fy Hoff Englyn', yn *Barddas*, Mawrth 1977: 'Meddyliwch am foment am y fath amrywiaeth o englynion sydd gennym ac fel yr amrywia'r patrwm yn y grefft o englynu . . . Dyma'r englyn adeiladol wedyn sy'n tyfu fel bwa pont garreg i'r maen clo fel englyn enwog Syr John Morris-Jones i 'Henaint' neu'r englyn 'Myned sydd raid i minnau' hwnnw gan Robert ap Gwilym Ddu, neu englyn Alun Jones y Cilie i'r Aradr'.

Awdur yr englyn uchod ydi Alun Cilie (1897-1975) – prifardd Teulu'r Cilie i mi. Yn ei waith ceir y bardd gwlad ar ei orau, y bardd a foliannodd fywyd cefn gwlad. Mae'r englyn yn agoriad i gyfres o englynion a gesglais sy'n disgrifio'r grefft o aredig hyd at fynd â'r llwyth olaf i'r das, yn iaith Sir Fôn. Codais yr englynion o ddwy gyfrol, *Cerddi Alun Cilie* (1964) a *Cerddi Pentalar* (1976), a olygwyd gan T. Llew Jones. Dyma 'Y Gŵys' i ddechrau:

> Rhwyg aradr dros war gweryd – yn llinell
>   Union o gelfyddyd;
>   Gwely lle cleddir golud
>   A thir âr lle ffrwytha'r ŷd.

Ac eto:

> O'i throi hi ces ffrwyth yr haf – a medi
>   Fy mwyd ddydd cynhaeaf;
>   O dalar fy rhawd olaf
>   I lawr hon yn ôl yr af.

Ymhen amser daw'r medelwr i'r cae:

> Â durfin di-rwd arfau – gŵyr am oed
>   Ar gwr medi'r ffrwythau;
>   Heddiw'n hel lle bu ddoe'n hau
>   Ei deg rawn hyd y grynnau.

Ar ei ôl gwelir yr ysgub:

> Tusw aur o'r tywys yw hi – a throm wyrth
>   Ar y maes ym Medi;
>   Y grawn a geir ohoni
>   Yw maeth ein cynhaliaeth ni.

Cesglir hwy i'r helm:

> Trysor aeddfed pen Medi, – Awst a'i aur
>   Wedi'i storio ynddi;
>   O faeth hael ei chyfoeth hi
>   Ŷd a gawn i'n digoni.

> Deil stôr ein gogor i gyd – ar gyfer
>   Y gaeafau rhynllyd,
>   A thrwy'i thoreth – o weryd
>   Y grŵn âr daw bara'r byd.

Ar ôl y cynhaeaf gwelir y cae sofl:

> Mae'n hydref, a mi'n edrych – ar dy wedd,
>   Cofio'r dyddiau gorwych;
>   Aeth pob lliw, aeth pob llewych,
>   A'th gofl yn ddim ond sofl sych.

Cyn y tynnir yr aradr i waith eto bydd yr hirlwm wedi bod.

    Mor fyw oedd sylwadaeth Alun Cilie fel y mae rhywun yn rhodio'r caeau gydag ef. Dim ond meistr ar ei gyfrwng a fyddai'n ddigon craff i bortreadu'r bywyd gwledig caled.

91.

Haul ar Fynydd

Cerddais fin pêr aberoedd – yn nhwrf swil
    Nerfus wynt y ffriddoedd,
    A braich wen yr heulwen oedd
    Am hen wddw'r mynyddoedd.

Mae'r ddau ansoddair, 'swil' a 'nerfus', yn y paladr yn dwyn i go'lun o Hedd Wyn, awdur yr englyn hwn, llun o'r Hedd Wyn ifanc yn eistedd yng Nghadair Y Bala a enillodd ym 1907.

Dewisodd Ithel Davies, Penarth, yr englyn hwn fel ei hoff englyn yn *Barddas*, Ionawr 1978:

Ac o'r cannoedd onid y miloedd o englynion gwych a gynhyrchwyd o gyfnod i gyfnod o Ganu Heledd yn arbennig hyd y dydd hwn nid oes un a rydd fwy o swyn i mi ac y sydd yn arlunwaith o liwiau cyfoethog yn rhagori ar englyn enwog Hedd Wyn ... Pa arlunydd a allai dynnu ei linellau a chymysgu ei liwiau i wneud darlun mor gywrain â hwnna? Buasai'r crach feirniad yn sicr yn neidio at yr ansoddair 'pêr' am aberoedd. Ond pwy a warafun i fardd yr hyn a welodd neu a deimlodd wrth gerdded min aberoedd yn Nhrawsfynydd? Tybed a gytunai neb pwy bynnag â fy newis i? Eithr rhydd i bob dyn ei farn a diau fod cynifer o farnau gwahanol ag sydd o feirdd. Oddi ar pan welais i yr englyn yna gyntaf erys ei swyn arnaf o hyd heb bylu dim a mi y pryd hwnnw yn llencyn yn y Coleg ym Mangor a than swyn ei farddoniaeth ef yr euthum ar bererindod i'r Ysgwrn a chael gan dad Hedd Wyn yr englyn cyntaf a gyfansoddasai ef yn un ar ddeg oed, ac y mae gennyf o hyd. Efallai fod gennyf ddiddordeb arbennig yn Hedd Wyn oherwydd i minnau ennill fy ngwobr gyntaf am englyn yn ddeuddeg oed ac mai bugail defaid oeddwn innau fel Hedd Wyn yn fy nyddiau cynnar yng Nghwm Tafolog.

Mae'r englyn hwn gan Hedd Wyn (1887-1917) yn dwyn i gof dri pheth arall am fardd y Gadair Ddu ar wahân i'r ffaith mai un o'i gyfoeswyr yn Nhrawsfynydd oedd y Parchedig John Jones, Llanrwst (1880-1944). Fe briododd ef â merch o fy milltir sgwâr, Rhos Cefn Hir, Ynys Môn.

Yn *Y Geninen*, Hydref 1902, cyhoeddwyd yr englyn canlynol, 'Y Gornant':

> Y Gornant ar greig gernau – a chwardda
> Uwch urddas dyffrynnau;
> A su hon tra'n ymneshau,
> Sy' dyner, felus dônau.

Yr awdur oedd E. H. Evans, 15 oed, sef Hedd Wyn. Ei enw bedydd oedd Ellis Humphrey Evans.

Yn ei chyfrol am Dewi Emrys, mae Eluned Phillips yn dwyn i go' Eisteddfod Genedlaethol 1917, Eisteddfod y Gadair Ddu. Meddai: 'Llwyddodd [Dewi Emrys] i gyrraedd yr Eisteddfod ac i gyfarch y bardd a'i trechodd ond a oedd yn rhy bell i'w glywed'. Dyma gyfarchiad Dewi Emrys ar yr achlysur:

> Ymhell o'i frodir dirion – yn ei waed
> Mae nerth gwlad ei galon;
> Ac er ei briw ceir i'w bron
> Haul o garol ei gwron.

Brawddeg olaf cyflwyniad y Parchedig William Morris i *Cerddi'r Bugail*, argraffiad 1931, ydi: 'Y mae cofio'r bardd ei hun hefyd yn ennyn 'Cariad at heddwch yn angerdd newydd yn ein mynwesau''.

Y Bugail Coll

Hawdd i wlad yw beirniadu, – ar wen gaer,
  Hen gwch a fo'n mallu.
  Aed ei feirniaid i'w farnu
  Draw i fôr y brwydro a fu.

Dewi Emrys (1881-1952), bardd y cwpledi cofiadwy, ydi awdur yr englyn hwn, allan o awdl 'Y Nos'. Mae llawer o ddyfynnu ar ddau gwpled o'i eiddo:

  Hen linell bell nad yw'n bod,
  Hen derfyn nad yw'n darfod.

Dyma esgyll ei englyn buddugol i'r 'Gorwel', yn Eisteddfod Genedlaethol Bae Colwyn, 1947; ac ar garreg ei fedd ym mynwent Pisgah, Talgarreg, Ceredigion, y mae:

  Melys hedd wedi aml siom,
  Distawrwydd wedi storom.

Mae'r cwpled uchod yr un mor boblogaidd. Dyfynnir yn aml hefyd o'i gerdd dafodieithol 'Pwllderi', yn enwedig, 'A thina'r meddilie sy'n dwad ichi/Pan foch chi'n ishte uwchben Pwllderi'.

'Pan enillodd Dewi Emrys gadair Eisteddfod Corwen am awdl i'r 'Nos' nid oedd Dewi yno, ac yn wir cyhoeddwyd enw'r bardd buddugol fel Mr D. Jones, Eagle Inn, Llanfihangel-ar-arth, Sir Gaerfyrddin. Ond nid oedd hwnnw yno chwaith. Awgrymir bod Dewi wedi defnyddio enw'r tafarnwr rhag ofn y byddai'r cyhoeddusrwydd a ddeuai yn sgil cyhoeddi ei enw ef yn fuddugol yn rhoi gwybod i'w wraig ymhle'r oedd, ac nid yn unig ei wraig, ond efallai bobl eraill yr oedd arno ddyled iddynt,' darlithiodd T. Llew Jones yn y Babell Lên yn

Eisteddfod Genedlaethol Maldwyn a'i Chyffiniau, 1981. Darlith i ddathlu canmlwyddiant geni Dewi Emrys oedd honno.

Mae'r englyn uchod i mi yn dweud yn glir na ellir datgysylltu gwaith bardd creadigol oddi wrth ei amgylchfyd. Canu am ei brofiadau a wnaeth Dewi Emrys, a'r profiadau hynny yn deillio o'i ffordd ryfedd o fyw. Meddai Eluned Phillips am yr englyn yn ei chyfrol *Dewi Emrys* (1971):

> Ar hyd yr oesoedd clywir cri eneidiau artistig, sensitif yn crefu am ddeallltwriaeth. Cri am gydymdeimlad ei gyd-ddyn sydd yn awdl y 'Nos' . . . A oedd Cymry ei gyfnod yn rhy grefyddol stiff i blygu i geisio deall anawsterau'r bardd? Mae'n amlwg fod Dewi ei hun yn credu hynny gan nad apêl am dosturi yn unig sydd yma ond fflangell hefyd am beidio â deall. Mae hyn yn nodweddiadol ohono.

93.

Dagrau

Dwy afon dirion deurudd – i rai llon
　　Ond i'r lleddf a'r dwysbrudd
Chwipiadau rhaffau ar rudd,
　　Stori cwest ar y cystudd.

Awdur yr englyn anghyffredin hwn ydi'r Prifardd Tom Parri Jones, 'un o anturiaethwyr byd y gynghanedd yn ein dyddiau ni,' meddai'r Prifardd Emrys Roberts amdano.

Un o brifeirdd Ynys Môn oedd ef ac un o dri phrifardd sydd wedi ennill y Gadair, y Goron a'r Fedal Ryddiaith yn yr Eisteddfod Gen-edlaethol. Enillodd y Gadair yn Rhosllannerchrugog ym 1945 am ei awdl 'Yr Oes Aur'. Enillodd y Goron ddwywaith, y tro cyntaf yn Llandudno ym 1963, lle mentrodd gyflwyno anterliwt i gystadleuaeth y bryddest ac ennill! Ddwy flynedd yn ddiweddarach yn Y Drenewydd, Maldwyn, enillodd y Goron am ddrama fydryddol, 'Y Gwybed'. Yn Eisteddfod Genedlaethol Sir Fôn ym 1957 enillodd y Fedal Rydd-iaith am gasgliad o storïau byrion, *Teisennau Berffro*. Yn Eisteddfod Genedlaethol Y Fflint daeth yn gydradd ail am Dlws y Ddrama. Yn yr englyn uchod, gwelwn ddawn eiriol gywrain a greddf celfyddwr hyderus. Ffresni'r syniad sy'n taro rhywun. Mae'r testun yn dwyn i go' ddau englyn arall ar y thema, y cyntaf gan Isnant, a ymddangosodd yn *Y Brython*, Medi 12, 1935:

Gorlwythog, leithog wlithyn – o'r galon
        Ddirgelaidd yw deigryn;
    Stormydd gaeaf duaf dyn
    A fwrir mewn diferyn.

Dros saith deg o flynyddoedd yn ddiweddarach gweithiodd Karen Owen, aelod o Dîm Y Sgwad, Talwrn y Beirdd, englyn ar y testun 'Halen':

Mae 'na halen mewn wylo, – y mae mwy
        Na llond môr ohono,
    Ond rhaid iti ei grio
    I allu dweud mor hallt yw o.

Cyhoeddodd Tom Parri Jones ddwy gyfrol o farddoniaeth *Preiddiau Annwn a Cherddi Eraill* (1946) a *Cerddi Malltraeth* (1978). Dim ond tri englyn a gyhoeddwyd ganddo yn y ddwy gyfrol. 'Dydw i'n synnu dim oherwydd tua diwedd ei oes dywedodd wrthyf nad oedd mesur yr englyn wedi apelio ato!

Lluniodd ambell englyn cwbwl gofiadwy ymron yn ddifyfyr, gan mor fflachiog ei ddawn. Soniai Derwyn Jones, Llyfrgellydd Coleg y Brifysgol, Bangor (y mae cynifer ohonom mor ddyledus iddo) mewn sgwrs â T.P. am seiad lle tystiai aelod, wrth goffáu ei gymydog, mai ei fferm oedd ei gofiant. Meddai Tom Tŷ Pigyn, 'Tyddyn yn gofiant iddo', a chan ofyn am ddarn o bapur, lluniodd yr englyn hwn yn y fan a'r lle, englyn a ystyriai wedyn yn goffa teg i'w dad:

> Roedd henddawn y pridd ynddo – a mawredd
> Y tymhorau'n cilio,
> A byw a fydd ef tra bo
> Tyddyn yn gofiant iddo.

''Does dim yn fwy sicr na bod iddo ddigonedd o ddawn,' ysgrifennodd Dafydd Owen, Hen Golwyn, amdano, yn *Barddas*, Gorffennaf/Awst 1982. Cytunaf.

Yn *Y Genhinen*, Gwanwyn 1956, cyhoeddwyd pedwar englyn coffa i R. Williams Parry ganddo, englynion sy'n cyffwrdd â'r galon, er enghraifft, yr ail englyn:

> Ei hen werin yn warrog – yn yr ôd
> Heb yr Haf cyfoethog,
> A daw'r gwynt a blodau'r gog
> I'r Llan, ac fe ddaw'r 'Llwynog'.

94.

Yr Hen Bladur

> Darfu'r dur, ni thyr flaguryn; – mae'n gul,
> Mae'n gam; daeth i'r terfyn;
> Bladur glaf, gwawd blodau'r glyn,
> Gwledd i rwd ar glawdd rhedyn.

Dros y blynyddoedd yn y Babell Lên rydw i wedi dysgu llawer am englynion ac englynwyr, ac wedi cael clywed am ambell englyn a'i awdur nad oeddwn yn gyfarwydd ag ef. O. M. Lloyd, Dolgellau a

Chaernarfon, a glywais i yn sôn am yr englyn hwn ac yn crybwyll ei awdur, y Parchedig D. L. Eckley, gweinidog gyda'r Anibynnwyr. Brodor o Ystrad Fallte, Sir Frycheiniog, Powys, yr ucheldiroedd rhwng y Mynydd Du (Sir Gaerfyrddin a Phowys) a Bannau Brycheiniog oedd David Lewis Eckley. Ni chafodd fanteision addysg gynnar ond datblygodd i fod yn fyfyriwr llwyddiannus. Dywedir fod ganddo gof eithriadol. 'Mae'n debyg iddo ennill gwobr mewn eisteddfod am adrodd Salm 119, y salm hwyaf yn y Beibl sy'n cynnwys 176 adnodau, yn gyfan gwbwl o'i gof pan oedd e'n 15 oed,' meddai'r Prifardd Eirwyn George. Yr oedd ganddo ei ffordd arbennig ei hun o gyflwyno ei genadwri: llefarai yn gyflym a chynhwysai lawer mewn ychydig. Ym 1936 ordeiniwyd ef yn weinidog Eglwys Tabernacl, Maenclochog, ynghyd ag Eglwys Llandeilo, sydd ryw filltir a hanner gwta o'r pentref. Ymadawodd â'r fro ym mis Gorffennaf 1943 pan dderbyniodd alwad Eglwysi Annibynnol Bethlehem, San Clêr, ac Elim, Llanddowror, Sir Gaerfyrddin.

'Prin wedi tewi yr oedd adlais ei lef o bwlpud Bwlchygroes, Ceredigion, hwyr y Nadolig 1946 pryd y'i daliwyd gan yr wŷs oddi uchod,' meddai'r deyrnged iddo yn Y Dysgedydd, 1947. Bu farw'r Parchedig D. L. Eckley ar Ragfyr 26, 1946, yn 42 oed.

Fe'i claddwyd ar Ragfyr 30 ym Mynwent Bethlehem, San Clêr. Ymhen amser ysgythrwyd 'Bugail ei braidd' ar ei garreg fedd. Yn Y Dysgedydd ym 1947 hefyd ceir ysgrif deyrnged onest iddo gan ei gyfaill, y Parchedig Gwilym Morris, Gwaelod y Garth a Chaerffili. Yn Y Dysgedydd ym mis Rhagfyr 1946, mis ei farw sydyn, cyhoeddwyd ei englyn 'Yr Awr Olaf':

> Awr galed, awr y gwylio, – awr dwyster,
>   Awr distaw obeithio;
>   Awr y gair a saif ar go',
>   Awr y wên yn yr huno.

O ddarllen rhwng llinellau'r englyn trist 'Yr Hen Bladur', gwelwn rym henaint. Gwelwn yn yr englyn hen bladur wedi gweld dyddiau gwell ac wedi cael ei thaflu o'r neilltu. Perthyn i'r gorffennol y mae bellach, twlsyn o oes gwaith nerth bôn braich, offer o'r oes pan oedd mynd ar gymdogaeth dda yng nghefn gwlad a'r pladurwr yn weithiwr o bwys. Canodd y beirdd i'r grefft o bladuro, er enghraifft, Alun Cilie yn ei gerdd hir 'Y Cynhaeaf', Mathonwy Hughes yn ei gywydd i Jac Dafis, 'yr hen bladurwr uniaith', ac Alan Llwyd yn ei awdl 'Y Gwanwyn'. Oni chlywir sŵn y bladur yn torri'r ŷd yn y cerddi?

Yn y flodeugerdd *Gwaedd y Bechgyn: Blodeugerdd Barddas o Gerddi'r Rhyfel Mawr 1914-1918*, ceir cerdd 'Y Medelwr'– yr awdur yn anhysbys. Y cwpled clo ydi:

> Daw arswyd am gryman y pennaf medelwr
> Ar faes y gyflafan yn Ffrainc.

Yn nhrydydd pennill y gerdd cyfeirir at y gader – 'ffurf dafodieithol a'r cadeiriau yn golygu pladuriau, offer lladd neu dorri neu daro ŷd,' meddai Huw Jones, Rhuddlan, yn *Cydymaith Byd Amaeth*, cyfrol 1 (1999). Yn ddiweddar canodd Dai Jones, aelod o Dîm Talwrn y Beirdd Crannog, englyn i'r 'Gader – Pladur':

> Â llafur yn pladurio – i hen gof
> Yn gae ifanc eto,
> Daw 'sgubau'r hydrefau dro
> Yn rhy amal i'w rhwymo.

Ewyn

Duw'r môr wrth grwydro'r marian a rannodd
    Odre'i wenwisg sidan
      I dorri'n edau arian
    Ar wely oer creigiau'r lan.

Rolant o Fôn (1909-1962) ydi awdur yr englyn hwn, englyn sy'n dangos dychymyg yr awdur mewn cymhariaeth fyw. Mae hwn hefyd yn dangos cariad dwfn iawn y bardd at natur ac at yr un a'i creodd. Ni honnai ei fod yn ddyn crefyddol ond yr oedd yn Gristion i'r carn. O ganlyniad credai'n gadarn nad y byd hwn oedd yr unig fyd na'r unig fywyd ar ein cyfer. Mynegodd hyn yn ei englyn sy' wedi ei dorri ar ei garreg fedd ym mynwent Llangefni:

    Nid bedd yw diwedd y daith; – hyd atom
      Daw eto foregwaith;
      Daw hwyl a gwynfyd eilwaith
    Ym môr tragwyddoldeb maith.

Mynegodd yr un gred mewn dwy o'i gerddi rhydd yr arferai fy mam sôn amdanynt yn rheolaidd, un gerdd i gofio 'Y Doctor', sef Doctor Jones o Langefni, a'r llall i goffáu Dic Bach y Tyddyn, sef Richard Jones, mab ieuengaf Mr a Mrs R. Jones, Tyddyn, Heneglwys, a fu farw ar Fai 12, 1936, yn 25 oed. O ddarllen ei gerddi hawdd ydi cytuno â sylw un beirniad am ei waith mai ar destunau crefyddol y cafwyd ei awen gryfaf.

Disgrifiwyd Rolant o Fôn, un o brif feirdd Môn, gan y Prifardd Einion Evans fel:

    Ein delwedd gynganeddwr – a mynydd
      Ym Môn o englynwr . . .

Cyhoeddwyd dwy gyfrol o farddoniaeth gan Rolant o Fôn. Cafodd ei gyfrol gyntaf, *Y Brenin a Cherddi Eraill* (1957), glod a derbyniad hael. Ym 1963 cyhoeddwyd *Yr Anwylyd a Cherddi Eraill*, a olygwyd gan Huw Llewelyn Williams, Y Fali, Ynys Môn. Ychwanegodd yn ei ragair: 'Yr oedd deunydd y gyfrol hon yn ymyl bod yn barod pan fu farw Roland Jones ym mis Rhagfyr 1962'. Ar y siaced lwch dywedwyd: 'Dyma gyfrol fechan o farddoniaeth fawr. Ni chyhoeddwyd cerddi ers tro byd â chymaint o arbenigrwydd yn perthyn iddynt. Yr oedd awen a dawn Rolant o Fôn yn faes toreithiog. Ceir yma y gwenith pur'.

Rhwng 1941 a 1949 enillodd tri o feirdd amlycaf Ynys Môn y Gadair bedair gwaith. Ym 1941 enillodd Rolant o Fôn ei Gadair Genedlaethol gyntaf am ei awdl 'Hydref'. Bedair blynedd yn ddiweddarach yn Rhosllannerchrugog enillodd Tom Parri Jones dlws y Gadair am ei awdl 'Yr Oes Aur'. Ym Mae Colwyn, 1947, John Eilian a eisteddodd yn y Gadair am ei awdl 'Maelgwn Gwynedd'. Ymhen dwy flynedd eisteddfod Hogiau Môn oedd hi: John Eilian yn ennill y Goron am ei bryddest 'Meirionnydd' a Rolant yn ennill ei ail Gadair gyda'i awdl 'Y Graig', awdl a ymddangosodd yn *Awdlau Detholedig 1926-50*, a gyhoeddwyd gan Gyngor yr Eisteddfod Genedlaethol ym 1953.

Cwpled o'r awdl honno sy' ar Dlws Rolant o Fôn a gyflwynir bob blwyddyn i dîm buddugol Ymryson y Beirdd yn yr Eisteddfod Genedlaethol. Yn ei ddydd 'doedd dim ymrysonwr mwy poblogaidd na Rolant, a adroddai ei englyn gyda'i oslef leddf, laes.

Y Pethe

Clymau gwarchod traddodiad yn cynnal
   Cenedl rhag dilead;
   Dolennau ein cydlyniad,
   Hen feini prawf ein parhad.

Ieuan Wyn, a anwyd ym 1949, a brodor o Fethesda, lle mae'n byw o hyd, ydi awdur yr englyn cofiadwy hwn. Mae'n cael ei gydnabod fel un o'n cynganeddwyr meistrolgar, ac mae'n awdur sawl englyn gloyw ac arhosol. Bardd o englynwr sy' wedi teimlo mai 'yn y manion mae einioes' ein cenedl.

Drwy gydol y blynyddoedd mae ei galon wedi gwaedu dros y genedl, ac yn ei farddoniaeth a'r ymgyrchoedd diflino y bu'n cymryd rhan ynddynt, mae wedi ein hannog i fod yn wylwyr ar y tŵr. Mynegodd hyn yn groyw mewn sawl englyn yn Ymryson y Beirdd yn yr Eisteddfod Genedlaethol ganol wythdegau'r ganrif ddiwethaf. Gweithiodd englyn yn cynnwys y llinell 'Naws hapus yr hen siopau':

Dacw hi, mae wedi cau, – hen oes crefft
   Huws y Crydd a'r hogiau;
   Yn nydd pres anodd parhau
   Naws hapus yr hen siopau.

Yn yr un Eisteddfod Genedlaethol, Llanbedr Pont Steffan, 1984, cafodd 'Alltud' fel testun Englyn Cywaith:

Gofid yw colli gafael – ar ddaear
   O ddewis ymadael;
   Ond â'n gwlad yn ein gadael
   'Does hid na gofid i'w gael.

Englyn ysgytwol sy'n ein tynnu at ein coel. Flwyddyn yn ddiwedd-arach cafwyd dau englyn arall ganddo ar yr un trywydd. Y cyntaf oedd englyn yn cynnwys y llinell 'Anodd iawn adfeddiannu':

Anodd iawn adfeddiannu – ac anadl
   Y claf gwan yn pallu,
   Anodd, ond gwn er hynny
   Na ddaeth o fedd iaith a fu.

'Lleiafrif' oedd testun un Englyn Cywaith, ac meddai Tîm Eryri, ac Ieuan Wyn yn aelod ohono:

Ychydig lle bu digon, – darn o wlad,
   Rhan o wledd yn friwsion;
   Gwae'r iaith lle bu cenedl gron
   Yn ddiwylliant gweddillion.

Bardd o englynwr, un o gewri'r Pethe yn Nyffryn Ogwen sy'n cynnal y genedl rhag dilead ydi Ieuan Wyn, Prifardd Bro Madog, 1987, am ei awdl gartrefol 'Llanw a Thrai'.

Pan mae'r gair 'Pethe' yn cael ei ddweud yn syth bin mae'r enw Llwyd o'r Bryn, bathwr y gair, yn dod i'r co'. Ac wrth ei gwt englyn coffa Trefor Jones, Llangwm:

Ei fyd oedd eisteddfode – a'i orchest
   Oedd gwarchod y Pethe;
   Gwron yr Ymrysone,
   Mae'n chwith – pwy lenwith ei le?

Llyn Celyn

(*A deg sychder mawr 1976*)

Olion fy hil a welaf – ac aelwyd
A foddwyd ganfyddaf;
Ailagor craith i'r eithaf
A wnaeth cwm yr hirlwm haf.

Mae cysylltiadau'r Prifardd Elwyn Edwards yn agos iawn ag ardal Capel Celyn, yr ardal a ddygwyd gan Gyngor Dinas Lerpwl gyda chymorth parod y sefydliadau Prydeinig ganol pumdegau'r ganrif ddiwethaf. Gellir synhwyro hynny wrth ddarllen yn englyn ingol hwn. Dim ond bardd â chysylltiadau teuluol â Chapel Celyn a fedrai weithio englyn fel hwn, englyn sy'n codi o'r galon. Mae ei linell olaf yn afaelgar. Mae'r gair 'hirlwm' yn awgrymu, ar yr wyneb, nad oes dim yn tyfu rhwng dau dymor, ond yn y llinell hon yn awgrymu nad oedd fawr o dyfiant datblygiad ychwaith yn ein gweithgarwch gwleidyddol hanner canrif yn ôl. Ond ym 1966 fe ddechreuodd yr hirlwm gilio a mân dyfiant yn dechrau ymddangos. Erys craith Tryweryn, fel y tystia englyn Ceri Wyn Jones yn Ymryson Eisteddfod Genedlaethol Caerdydd, 2008, sef Englyn Cywaith ar y testun 'Llyn':

Gwae ni'n haf pan ganwn o hyd – i'r llyn
Eiriau llanw'n ddiwyd,
Ond gwae'n trawiadau i gyd
Un haf pan beidiwn hefyd.

Cwm yn ymyl Y Bala, Gwynedd, ydi Cwm Tryweryn. Ym 1965 boddwyd pentref Capel Celyn yn y Cwm er mwyn cyflenwi dŵr i ddinas Lerpwl. Boddwyd 800 erw o dir a hefyd yr ysgol, y llythyrdy, y capel a'r fynwent er mwyn creu cronfa ddŵr Llyn Celyn. Yn y Tyrpeg, Capel Celyn, y magwyd taid y Prifardd Elwyn Edwards, R. T.

Rowlands, tad ei fam a'i ewythr Ithel Rowlands, Machynlleth, a brawd Ifan Rowlands, Y Gist Faen, Llandderfel, tad R. J. Rowlands, Y Bala. Anodd felly tynnu dyn oddi ar ei dylwyth. Enillodd Elwyn Edwards y Gadair yn Eisteddfod Genedlaethol 1988 am ei awdl ddirdynnol am farwolaeth ei fam. Fe'i cyfarchwyd ef gan ei ewythr Ithel:

Ond dy gerdd, dy angerdd yw,
Dy gân hud o gŵyn ydyw;
Nid atgof ond dy brofiad,
Nych a phoen mam a choffâd . . .

Wrth longyfarch ei nai, mae Ithel yn nodi dylanwad Bob Edwards, Y Fron-goch, tad Elwyn, arno fel bardd:

Hen wreiddyn dy wareiddiad
Yng ngloywder dyfnder dy dad.

Deinamo o englynwr oedd Bob Edwards. Un o'r cystadlaethau gorau a fu yn Ymryson y Beirdd yn yr Eisteddfod Genedlaethol yn ystod cyfnod Gerallt Lloyd Owen fel Meuryn, o 1979 hyd 2002, oedd yr Ymryson a gynhaliwyd yn Eisteddfod Genedlaethol Aberystwyth ym 1992. Tasg un o'r rowndiau yn yr Ymryson hwn oedd gweithio englyn yn cynnwys y llinell 'Galar yr unigolyn', llinell a gafwyd yn wreiddiol yng nghywydd Alan Llwyd i longyfarch Elwyn Edwards ar ennill Cadair yr Eisteddfod Genedlaethol ym 1988:

A galar daear a dyn
Yw galar unigolyn.

Dyma ateb Elwyn Edwards i'r dasg:

Er yn onest ymestyn – ein dwylo
I dawelu deigryn,
Yn y rhwyg ni ŵyr yr un
Alar yr unigolyn.

Mae'n englyn sy'n cael ei ddefnyddio gan lawer heddiw i fynegi cyd-ymdeimlad.

Mae mantell R. J. Rowlands, y bardd a folodd fywyd gwledig diwyll-iedig Penllyn, bellach wedi syrthio ar ysgwyddau Elwyn Edwards, fel y dengys ei gyfres o englynion 'Bryn Bedwog, Cefnddwygraig' yn *Blodeugerdd Barddas o Farddoniaeth Gyfoes* (2005), a olygwyd gan Tony Bianchi.

98.

Fy Mendith

> Mal blodau prennau ymhob rhith, – mal ôd,
> Mal adar ar wenith,
> Mal y daw y glaw a'r gwlith
> Mae i undyn fy mendith.

Dafydd Nanmor, bardd o fri o'r bymthegfed ganrif, a ganai rhwng 1450 a 1490, ydi awdur yr englyn uchod. Mae'r englyn hwn, sy' bron yn chwê chanrif oed, yn dangos gallu'r bardd i ffrwyno'i ddychymyg a bod rhywbeth meddiannol a channaid yn ei arddull. Roedd Dafydd Nanmor yn fardd ac yn feddyliwr anghyffredin yn ôl Saunders Lewis, a hefyd yr oedd 'yn sylwedydd craff ar bopeth o'i gwmpas'. Mae'r englyn uchod yn gwireddu'r sylw. Mae'r llinellau 'Hwy trig eira'r wig ar wregys cangen/Na mwnai, aur hen, yn amner Rhys' o'i gerdd sy'n disgrifio haelioni Rhys ap Llywelyn a'i barodrwydd i gyfrannu ei gyf-oeth, yn gofiadwy iawn ac yn eilio sylw Saunders Lewis.

'Tystia'i enw mai yn Eryri yr oedd cartref Dafydd Nanmor,' meddai Thomas Parry yn *Hanes Ein Llên* (1948), 'ond y mae'n ymddangos mai yng ngodre Ceredigion gyda theulu'r Tywyn y treuliodd lawer o'i oes ac i aelodau'r teulu hwnnw y canodd y rhan fwyaf o'i gerddi . . . Gwelodd Dafydd dair cenhedlaeth yn y Tywyn – Rhys ap Maredudd,

Rhydderch ei fab a Rhys, mab hwnnw'. Yn ôl yr Athro W. J. Gruffydd ym 1921: 'Efallai mai cywydd Dafydd Nanmor i Rys o'r Tywyn ydyw'r cywydd canmol enwocaf yn y Gymraeg'.

Un o gywyddau mwyaf adnabyddus Dafydd Nanmor yw 'Marwnad Bun', sy'n cynnwys y cwpledi a ganlyn:

> O daearwyd ei deurudd
> Mae'n llai'r gwrid mewn llawer grudd . . .
> Os marw hon yn is Conwy
> Ni ddylai Mai ddeilio mwy.

Fel yr awgrymodd Saunders Lewis roedd y ddawn gan Dafydd Nanmor, a oedd â chariad angerddol at wareiddiad sefydlog, o drwytho ffeithiau bywyd gyda rhamant ei ddychymyg. Bardd y gwareiddiad Cymreig oedd Dafydd Nanmor. Fel cywyddwr, yn ôl yr Athro W. J. Gruffydd, nid ydyw'n ail i neb ond Dafydd ap Gwilym ei hunan.

Yn ei farwnad iddo canodd Hywel ap Rheinallt:

> Lladdwyd mawredd Gwynedd gau,
> A lladd awen holl Ddeau;
> Marw Dafydd Nanmor dyfiad,
> Marw y gerdd Gymraeg a'i had.

Er Cof am Evan Thomas (1903-1970)
Blaen Pant, Bwlchygroes, Ceredigion

Mae'n eisiau'r cymwynaswr, – y dawnus
A'r doniol gwmnïwr;
Nos da, yn dy lain ddi-stŵr,
Y diddanus dyddynnwr.

Y Prifardd T. Llew Jones, prif gymwynaswr ein llenyddiaeth dros yr hanner canrif diwethaf, ydi awdur yr englyn coffa hwn. Mae'r englyn wedi cael ei dorri ar garreg fedd Evan Thomas ym Mynwent Capel Bwlchygroes, ger Llandysul, Ceredigion. Rydw i'n ystyried Evan Thomas, gŵr yr oedd gan yr englynwr barch mawr ato, fel un o 'fy mhobol i' T. Llew Jones. Llwyddodd yr englynwr i osod mewn deg sill ar hugain yr hyn yr oedd cymdogion Evan Thomas yn ei deimlo wedi ei farwolaeth.

Fel y cofnoda T. Llew Jones yn *Fy Mhobol i*, daeth dyn a dynes o Lynebwy i chwilio amdano ym mis Gorffennaf 1958, Yng Nglynebwy yr oedd yr Eisteddfod Genedlaethol y flwyddyn honno, ac roedd T. Llew Jones wedi cystadlu am y Gadair. Arhosodd y ddau i holi Evan Thomas ymhle yr oedd T. Llew Jones yn byw. Y cwestiwn tynged-fennol a ofynnodd ef iddynt oedd, 'O ble rydych chi'n dod, 'te?' Pan atebwyd mai yng Nglynebwy yr oeddynt yn byw, fe ollyngwyd y gath o'r cwd ynghylch pwy oedd wedi ennill y Gadair Genedlaethol y flwyddyn honno.

'Bu 1958 yn flwyddyn hynod o bwysig yn hanes bywyd T. Llew Jones mewn mwy nag un ystyr,' meddai Siân Teifi yn ei hastudiaeth o'i fywyd a'i waith, *Cyfaredd y Cyfarwydd* (1982). Ym mis Ionawr y flwyddyn honno dechreuodd ar ei waith fel Prifathro Ysgol Coed-y-bryn, ger Llandysul. Symudodd o Dre-groes ar ôl bod yn Brifathro yno o Ionawr 1951 hyd Ragfyr 1957. Ym mis Awst enillodd ei Gadair Genedlaethol gyntaf yng Nglynebwy am ei awdl 'Caerlleon-ar-Wysg', awdl gyfoes ei neges. Yn ystod y flwyddyn hefyd cyhoeddodd *Llyfr Anrheg* ar y cyd â Deilwen M. Evans, *Merched y Môr a Chwedlau Eraill*, cyfrol o storïau gwerin, a *Trysor Plasywernen*, ei nofel gyntaf. Cyn y flwyddyn hon roedd wedi bod yn gysylltiedig â phedair cyfrol arall: *Cen Ceredigion*, *Llyfr Siân ac Iolo*, y llyfryn *Dwy Awdl*, a golygu *Cerddi Gwlad ac Ysgol*.

Ymhen y flwyddyn enillodd y Gadair Genedlaethol yng Nghaernarfon gyda'i awdl 'Y Dringwr'. 'Diddorol nodi,' meddai Siân Teifi, 'nad oes un bardd arall yn hanes yr Eisteddfod Genedlaethol ac eithrio Dewi Emrys wedi ennill cadair yr Eisteddfod ddwy waith yn olynol . . .'

Sylweddolwyd bellach gan lên-garwyr Cymru nad dyn o allu cyffredin oedd y Prifardd dwbl newydd. Wrth fesur a phwyso englynion T. Llew Jones, 'wiw anghofio ei englyn buddugol yn Eisteddfod Genedlaethol Caerffili ym 1950, pan enillodd ar yr englyn ar y testun 'Ceiliog y Gwynt' – y gorau allan o 347 o englynion – y nifer mwya' o englynion a dderbyniwyd yn hanes y gystadleuaeth. Roedd T. Llew Jones yn ail iddo ei hun hefyd! Dyma'r englyn buddugol:

> Hen wyliwr fry mewn helynt – yn tindroi
> Tan drawiad y corwynt;
> Ar heol fawr y trowynt
> Wele sgwâr polîs y gwynt.

Yn 2007 ef oedd enillydd Tlws W. D. Williams am yr englyn gorau a ymddangosodd yn *Barddas* rhwng Ebrill 2006 a Mawrth 2007, 'I Gyfarch Nia, fy Wyres, yn 40 oed':

> Cofio'r hwyl, cofio'r heulwen – yn ein lawnt,
> Cofio'r plentyn llawen;
> Yma'n awr, a mi yn hen,
> 'Wy'n ddig fod Nia'n ddeugen.

Mynachlog Glynegwestl

Gwae'r gwan dan oedran, nid edrych, – ni chwardd,
  Ni cherdda led y rhych;
  Gwae ni wŷl yn gynilwych,
  Gwae ni chlyw organ a chlych.

Guto'r Glyn, a flodeuai rhwng tua 1435 a 1493, ydi awdur yr englyn hwn sy'n ddisgrifiad cignoeth o henaint. Daeth yr englyn hwn i'm co' unwaith neu ddwy ar faes yr Eisteddfod Genedlaethol yng Nghaerdydd yn 2008. Oni welais un neu ddau o'n heisteddfodwyr amlwg wedi torri, neu fel yr arferai fy mam ddweud, 'Mae'i 'sgwydda' fo wedi culhau'.

Brodor o Lyn Ceiriog oedd Guto Glyn. Treuliodd ran o'i oes yn nhref Croesoswallt. Bu'n clera ym Môn, Gwent a Gwynedd, ond ei droedle oedd Powys. Canmolai'r croeso a'r nawdd a dderbyniai gan eglwyswyr ac abadau. Aeth yn ddall yn ei henaint a chafodd nodded ym mynachlog Glynegwestl neu Glyn y Groes yng nghwmwd Iâl. Yno y bu farw a'i gladdu tua 1493.

Bardd a roddai ar gân y peth a godai yn syth o'r galon oedd Guto'r Glyn, ac o ganlyniad mae blas siarad ar ei waith. Canodd am y byd fel yr oedd, canodd i bethau go iawn ac nid i freuddwydion. Ceir nodyn personol clir yn ei ganu fel y dengys yr englyn uchod.

Dan ei ddwylo meistrolgar ef ac eraill rhyddhawyd y cywydd o'r geiriau llanw poenus o'r tor-ymadroddion a gafwyd yng ngwaith y cywyddwyr boreol, fel y galwodd yr Athro W. J. Gruffydd hwy. Yr oedd y gwelliant hwn yn dangos cynildeb a saernïaeth arbennig o ofalus gan y bardd Guto'r Glyn ac eraill. Yng ngwaith Guto'r Glyn a'i gyfoeswyr down at destun newydd yng nghanu'r beirdd, sef gwladgarwch. Gellir dweud ei fod yn fardd a oedd o flaen ei oes, un a oedd wedi magu cydwybod am ei wlad ac wedi sylweddoli bod mwy i

Gymro na dweud ei fod yn wahanol i'r Sais. Synhwyrir yn ei gerddi fod Guto yn ystyried Cymru benbaladr yn genedl.

Yn ei ffug-farwnad, 'Marwnad ar ôl Guto'r Glyn', mae Llywelyn ap Gutun yn cymryd arno bod Guto wedi boddi wrth groesi traeth Malltraeth, Ynys Môn. Ynddi mae'r cwpled adnabyddus:

> Boddi wnaeth ar draeth heb drai,
> Mae'n y nef am na nofiai.